生态文明时代的环境权研究

——生态环境与法律保障

SHENGTAI WENMING SHIDAI DE HUANJINGQUAN YANJIU

黄 茂◎著

长江出版传媒 Changjiang Publishing & Media
湖北科学技术出版社 HUBEI SCIENCE & TECHNOLOGY PRESS

图书在版编目(CIP)数据

生态文明时代的环境权研究：生态环境与法律保障 / 黄茂著.—武汉：湖北科学技术出版社，2021.12

ISBN 978-7-5706-0101-1

Ⅰ.①生… Ⅱ.①黄… Ⅲ.①环境权-研究 Ⅳ.①D912.604

中国版本图书馆 CIP 数据核字(2021)第 226536 号

责任编辑：宋志阳 傅 玲　　封面设计：喻杨

出版发行：湖北科学技术出版社　　电话：027-87679468

地　　址：武汉市雄楚大街 268 号　　邮编：430070

（湖北出版文化城 B 座 13~14 层）

网　　址：http://www.hbstp.com.cn

印　　刷：湖北新华印务有限公司　　邮编：430035

880×1230　1/32　　5.75 印张　120 千字

2021 年 12 月第 1 版　　2021 年 12 月第 1 次印刷

定价：60.00 元

前　言

环境保护、生态文明等作为近代热门概念已经被全社会所接受，这也是中华文明和传统文化的回归，在我们中华文明几千年的文明史里，环境、生态的思想与实践古已有之，一脉相传，根深蒂固。从神话传说“大禹治水”“女娲补天”，到文学作品“草堂少花今欲栽，不问绿李与黄梅”（杜甫），“我昔少年时，种松满东岗。初移一寸根，琐细如插秧”（苏轼），再到各朝代的法令，如“毋坏屋，毋填井，毋伐树木，毋动六畜，有不如令者，死无赦”（西周《伐崇令》），《吕氏春秋》中对自然资源的保护规定得更为具体，称为“四时之禁”，《唐律》《清律》等均有记载。

党的十九大以来，党中央特别提出建设美丽中国的远大目标，习总书记强调“保护生态环境必须依靠制度，依靠法制”。只有实行最严格的制度，最严密的法治，才能为生态文明建设提供可靠保障。在党中央的领导下，我国在环境保护方面坚持把制度建设作为重中之重，把生态文明建设纳入制度化、法治化轨道，在生态环境方面制定并实施了60多项改革方案，如扎实推进生态环境监测数据质量管理、河(湖)长制、国家公园体制改革试点等等，全面实施了“史上最严”环境保护法，环境法规出台的频度空前未有，我国生态文明制度体系初步建立。

在建党百年之际，特别推出本书是为了践行党中央关于环境保护的方针政策，结合现行环境保护法律法规现状，提出“环境权”作为完善环境法律体系的基础，也是深化生态文明时代环境保护的基础。我国环境保护的目标是建设美丽中国，人民群众享有什么样的“环境权”，怎样在政策、措施方面体现“环境权”，在社会生活中落实“环境权”，在国际大环境中如何利用“环境权”保护国家利益和国家安全等都是需要加强的基础工作内容。

鉴于国内在“环境权”的研究尚未全面开展，本书旨在结合现行环境法律法规基本制度和生态文明时代对“环境权”的需求，提供了我国的环境保护基本制度，并进行了数据和资料收集，并普及环境保护知识，重点提出生态环境时代环境保护对“环境权”的需求，结合碳达峰、碳中和等绿色低碳经济与生态环境高度统一和协调发展中“环境权”的作用进行了一些思考和阐述。

本书抛砖引玉，欢迎社会上的热心生态环境保护的人们关注、讨论和研究，将“环境权”作为进一步完善环境法律体制的基本要素之一,推动完善环境法律法规的进步。在此,特别感谢王家源同志(原武汉市生态环境局副局长、巡视员,原武汉市人民政府咨询委员会副主任,原武汉化工区顾问),黄蔚同志(原武汉市环保局副巡视员)等专家认真审校本书并提供真诚的帮助。

黄茂

2021 年 7 月

目　　录

第一章　环境保护的产生与发展 …………………… (1)
一、环境保护 …………………………………………… (1)
(一)积极参与环境保护倡导过程 ………… (1)
(二)《人类环境宣言》 ………………………… (3)
(三)世界环境日 ………………………………… (3)
二、触目惊心的环境污染事件 ………………… (11)
(一)20世纪世界最严重的十大环境污染事件………………………………… (11)
(二)中国近年来最严重的十大环境污染事件………………………………… (19)
三、污染防治 ………………………………………… (30)
(一)污染防治主要措施……………………… (30)
(二)污染物"点源"治理 …………………… (31)
(三)污染物防治由"点"向"面" ………… (31)
第二章　广义的环境保护 ………………………… (33)
一、经济发达国家环境保护的重点 ………… (34)

二、我国社会经济快速发展与点源污染及污染防治的矛盾日益突出 ……………………（36）
（一）国家应对策略与探索……………………（37）
（二）行业动向与近期目标……………………（42）
三、生态文明是可持续发展的必然 ……………（43）
（一）生态和生态系统…………………………（44）
（二）文明的内涵………………………………（47）
（三）环境的内涵………………………………（58）
（四）我国现行的环境保护法律法规…………（67）
第三章　生态文明时代的环境保护 ……………（74）
一、建设生态文明是环境保护的进步和机遇 …（74）
（一）生态文明的净化功能……………………（75）
（二）生态文明的提升功能……………………（76）
（三）生态文明的协调功能……………………（76）
（四）生态文明的融合功能……………………（77）
（五）生态文明的滋养功能……………………（78）
二、建设生态环境保护主要路径 ………………（78）
（一）资源利用优化……………………………（81）
（二）绿色低碳循环经济………………………（83）
（三）碳排放交易和碳中和……………………（91）
第四章　生态环境保护的法制体系 ……………（102）
一、生态环境保护相关的法律 …………………（102）
（一）宪法 ……………………………………（102）

（二）生态环境基本的法律体系 …………（103）
（三）司法介入 ……………………………（110）
二、生态环境标准体系 ……………………（110）
（一）主要污染物种类 …………………（111）
（二）生态环境质量标准 ………………（126）
（三）生态环境风险管控标准…………（1320）
（四）污染物排放标准 …………………（131）
（五）生态环境监测标准 ………………（143）
（六）生态环境标准管理 ………………（150）
第五章　环境权是全面完善生态环境法律体系的核心与基础 ……………………（152）
一、环境权的属性 …………………………（152）
（一）环境权的权利性质 ………………（153）
（二）环境权的主要内容 ………………（154）
（三）环境权的取得与义务 ……………（159）
（四）环境权在司法实践中的地位 ………（160）
二、生态环境时代战略布局对环境权的需求 ……（160）
（一）完善法律法规政策体系 …………（160）
（二）我国公民环境权立法 ……………（162）
（三）政府在公民环境保护中扮演的角色 ……………………………（164）
（四）环境权立法的重要性和紧迫性 ……（166）
第六章　环境权立法的重要意义 …………（168）

一、环境权的提出是生态文明时代发展阶段的必然 ……………………………（168）
二、完善环境权立法是生态文明时代司法改革的趋势之一 ……………………（169）
三、生态文明时代为环境权立法提供了生长和发展的土壤 ……………………（170）

第一章　环境保护的产生与发展

在人类发展早期的原始与蛮荒时代，由于社会生产力低下，对于物质索取方式原始和数量少，对自然环境的破坏与影响不大，尚未形成人为的环境污染事件，人们对环境需求的认知尚处于较低水平。

但随着社会生产力水平提高和生产规模的扩大，环境保护工作由单纯的控制工业污染物排放与治理——点源污染源与污染防治，逐步发展到区域、流域的环境综合整治，乃至今天的生态环境要素的管理和治理。

一、环境保护

（一）积极参与环境保护倡导过程

近代人类社会进步的高速发展，对自然资源的索取与自然环境的改变和破坏、工业产品加工过程与“三废”排放，造成环境污染逐渐加重。20 世纪 60 年代以来，世界范围内的环境污染与生态破坏日益严重，环境问题和环境保护逐渐为国际社会所关注。由此，对环境保护的需求就油然而生。

1972年6月5—16日,联合国在瑞典首都斯德哥尔摩召开了人类环境会议。这是人类历史上第一次在全世界范围内研究保护人类环境的会议,标志着人类环境意识的觉醒。由113个国家和地区,共1300多名代表和各国科学家、学者参加讨论了当代世界的环境问题,制定了对策和措施。联合国人类环境会议秘书长莫里斯·斯特朗委托58个国家的152位科学界和知识界的知名人士组成了一个大型委员会,起草了一份非正式报告《只有一个地球》,经讨论交流后,公布了著名的《联合国人类环境会议宣言》(*Declaration of United Nations Conference on Human Environment*),简称《人类环境宣言》)和具有109条建议的保护全球环境的“行动计划”,呼吁各国政府和人民为维护和改善人类环境,造福全体人民,造福子孙后代共同努力。会议提出了响遍世界的环境保护口号:“只有一个地球”。出席会议的113个国家和地区的1300名代表建议将大会开幕日定为“世界环境日”。

中国代表团积极参与了上述宣言的起草工作,并在会上提出了经周恩来总理审定的中国政府关于环境保护的32字方针:“全面规划,合理布局,综合利用,化害为利,依靠群众,大家动手,保护环境,造福人民”。

1972年10月,第27届联合国大会根据斯德哥尔摩会议的建议,决定成立联合国环境规划署,作为负责处理联合国在环境方面日常事务的常设机构和国际环境活动中心，促进和协调联合国内外的环境保护工作。大会确定每年的6月5日为世界环境日，让世界各国人民永远纪念它。联合国和各国政府要在每年的这一天开展各种活动，提醒全世界注意全球环境状况和人类活动对环境的危害，强调保护和改善人类环境的重要性。举行保护环境、反对公害的各类活动。联合国环境规划署也在这一天发表有关世界环境状况的年度报告。世界环境日的确立，反映了世界各国人民对环境问题的认识和态度，表达了我们人类对美好环境的向往和追求。

（二）《人类环境宣言》

《人类环境宣言》提出7个共同观点和26项共同原则，引导和鼓励全世界人民保护和改善人类环境。《人类环境宣言》规定了人类对环境的权利和义务。呼吁：为了这一代和将来的世世代代而保护和改善环境，已经成为人类一个紧迫的目标；这个目标将同争取和平和全世界的经济与社会发展这两个既定的基本目标共同和协调地实现；各国政府和人民为维护和改善人类环境，造福全体人民和后代而努力。

（三）世界环境日

世界环境日是专为世界环境保护而设立的节日，旨在促进全球环境意识、提高政府对环境问题的重视并采取具体环境保护行动。联合国和各国政府每年都在6月5日的这一天开展各项活动来宣传与强调保护和改善人类环境的重要性。联合国环境规划署每年6月5日选择一个成员国举行"世界环境日"纪念活动,发表《环境现状的年度报告书》及表彰"全球500佳",并根据当年的世界主要环境问题及环境热点,有针对性地制定每年的"世界环境日"主题。

世界环境日的意义在于提醒全世界注意地球状况和人类活动对环境的危害。要求联合国和各国政府在这一天开展各种活动来强调保护和改善人类环境的重要性。

联合国环境规划署在每年的年初公布当年的世界环境日主题,并在每年的世界环境日发表环境状况的年度报告书。中国国家环境主管部门在这期间发布中国环境状况公报。

1.历年世界环境日主题

1)20世纪70年代(1974—1979)

1974年:只有一个地球(Only one Earth)。

1975年:人类居住(Human Settlements)。

1976年:水:生命的重要源泉(Water:Vital Resource for Life)。

1977年:关注臭氧层破坏、水土流失、土壤退化和滥伐森林(Ozone Layer Environmental Concern;Lands Loss and Soil Degradation;Firewood)。

1978 年:没有破坏的发展(Development Without Destruction)。

1979 年:为了儿童的未来——没有破坏的发展(Only One Future for Our Children—Development Without Destruction)。

2)20 世纪 80 年代(1980—1989)

1980 年:新的十年,新的挑战:没有破坏的发展(A New Challenge for the New Decade:Development Without Destruction)。

1981 年:保护地下水和人类食物链,防治有毒化学品污染(Ground Water,Toxic Chemicals in Human Food Chains and Environmental Economics)。

1982 年:纪念斯德哥尔摩人类环境会议 10 周年:提高环保意识(Ten Years After Stockholm:Renewal of Environmental Concerns)。

1983 年:管理和处置有害废弃物:防治酸雨破坏和提高能源利用率(Managing and Disposing Hazardous Waste:Acid Rain and Energy)。

1984 年:沙漠化(Desertification)。

1985 年:青年、人口、环境(Youth,Population and the Environment)。

1986 年:环境与和平(A Tree for Peace)。

1987 年:环境与居住(Environment and Shelter:More

Than A Roof)。

1988 年:保护环境、持续发展、公众参与(When People Put the Environment First, Development Will Last)。

1989 年:警惕全球变暖(Global Warming, Global Warning)。

3)20 世纪 90 年代(1990—1999)

1990 年:儿童与环境(Children and the Environment)。

1991 年:气候变化,需要全球合作(Climate Change, Need for Global Partnership)。

1992 年:只有一个地球——关心与共享(Only One Earth—Care and Share)。

1993 年:贫穷与环境——摆脱恶性循环(Poverty and the Environment—Breaking the Vicious Circle)。

1994 年:一个地球一个家庭(One Earth One Family)。

1995 年:各国人民联合起来,创造更加美好的世界(We the Peoples, United for the Global Environment)。

1996 年:我们的地球、居住地、家园(Our Earth, Our Habitat, Our Home)。

1997 年:为了地球上的生命(For Life on Earth)。

1998 年:为了地球的生命,拯救我们的海洋(For Life on Earth—Save Our Seas)。

1999 年:拯救地球就是拯救未来(Our Earth, Our Future, Just Save It!)。

4)21 世纪最初十年(2000—2009)

2000 年:2000 环境千年,行动起来(2000 The Environment Millennium—Time to Act)。

2001 年:世间万物,生命之网(Connect with the World Wide Web of life)。

2002 年:让地球充满生机(Give Earth a Chance)。

2003 年:水——二十亿人生于它!二十亿人生命之所系!(Water—Two Billion People are Dying for It!)。

2004 年:海洋存亡,匹夫有责(Wanted, Seas and Oceans—Dead or Alive)。

2005 年:营造绿色城市,呵护地球家园!(Green Cities, Plan for the Plan!)。中国主题:人人参与,创建绿色家园。

2006 年:莫使旱地变为沙漠!(Deserts and Desertification—Don't Desert Drylands!)。中国主题:生态安全与环境友好型社会。

2007 年:冰川消融,后果堪忧(Melting Ice—a Hot Topic)。中国主题:污染减排与环境友好型社会。

2008 年:促进低碳经济(Kick the Habit! Towards a Low Carbon Economy)。中国主题:绿色奥运与环境友好型社会。

2009 年:地球需要你:团结起来应对气候变化(Your Planet Needs You: Unite to Combat Climate Change)。中国

主题:减少污染——行动起来。

5)21 世纪第二个十年(2010—2019)

2010 年:多个物种,一个星球,一个未来(Many Species,One Planet,One Future)。中国主题:低碳减排·绿色生活。

2011 年:森林:大自然为您效劳(Forests Nature at Your Service)。中国主题:共建生态文明,共享绿色未来。

2012 年:绿色经济:你参与了吗?(Green economy: does it include you?)。中国主题:绿色消费,你行动了吗?

2013 年:思前,食后,厉行节约(Think eat save)。中国主题:同呼吸,共奋斗。

2014 年:提高你的呼声,而不是海平面(Raise your voice not the sea level)。中国主题:向污染宣战。

2015 年:促进可持续消费和生产(Sustainable consumption and production)。中国主题:践行绿色生活。

2016 年:为生命呐喊(Go wild for life)。中国主题:改善环境质量,推动绿色发展。

2017 年:人与自然,相连相生(Connecting people to nature)。中国主题:绿水青山就是金山银山。

2018 年:塑战速决(Beat plastic pollution)。中国主题:美丽中国,我是行动者。

2019 年:空气污染(Beat air pollution)。中国主题:低碳减排·绿色生活。

6)21 世纪 20 年代(2020 年至今)

2020 年:关爱自然,刻不容缓(Time for nature)。中国主题:美丽中国,我是行动者。

2021 年:生态系统修复(Ecosystem restoration)。中国主题:人与自然和谐共生。

从上述世界环境日和中国环境日的主题演变过程可以看到环境保护几十年发展的过程和关注的焦点,总体趋势由局部或具体的环境问题向影响全球的环境问题和生态修复转变。如呵护地球家园、水与海洋、发展与保护、臭氧层、食物链、可持续发展、人与自然、气候变暖、绿色发展、低碳经济、生态文明等主题,至今仍是我们不断思考和继续努力的方向。

2.历届主办国家(城市)

1987 年:肯尼亚内罗毕。

1988 年:泰国曼谷。

1989 年:比利时布鲁塞尔。

1990 年:墨西哥墨西哥城。

1991 年:瑞典斯德哥尔摩。

1992 年:巴西里约热内卢。

1993 年:中国北京。

1994 年:英国伦敦。

1995 年:南非比勒陀利亚。

1996 年:土耳其伊斯坦布尔。

1997 年:韩国首尔。

1998 年:俄罗斯莫斯科。

1999 年:日本东京。

2000 年:澳大利亚阿德莱德。

2001 年:意大利都灵以及古巴哈瓦那。

2002 年:中国深圳。

2003 年:黎巴嫩贝鲁特。

2004 年:西班牙巴塞罗那。

2005 年:美国圣弗朗西斯科。

2006 年:阿尔及利亚阿尔及尔。

2007 年:挪威特罗瑟姆。

2008 年:新西兰惠灵顿。

2009 年:墨西哥墨西哥城。

2010 年:卢旺达基加利。

2011 年:印度新德里、孟买。

2012 年:巴西里约热内卢。

2013 年:蒙古国乌兰巴托。

2014 年:巴巴多斯。

2015 年:意大利米兰。

2016 年:安哥拉罗安达。

2017 年:加拿大。

2018 年:印度。

2019 年:中国杭州。

2020 年：哥伦比亚。

二、触目惊心的环境污染事件

（一）20 世纪世界最严重的十大环境污染事件

20 世纪世界最严重的十大环境污染事件给人类敲响了警钟，简单介绍如下。

1.1930 年 12 月 1—5 日，比利时马斯河谷事件

过程：比利时的马斯河谷位于狭窄的盆地中，1930 年 12 月 1—5 日，气温发生逆转，致使工厂中排放的有害气体和煤烟粉尘在近地大气层中集聚不散（图 1-1）。

图 1-1　比利时马斯河谷事件

危害：3 天后开始有人发病。症状为胸痛、咳嗽、呼吸困难等，一星期内有 60 多人死亡，其中心脏病、肺病患者死亡率最高。同时，还有许多家畜致死。

原因：事件发生期间，SO_2 浓度很高，并可能含有氟化物。事后分析认为，此次污染事件，是几种有害气体同煤烟粉尘对人体综合作用所致。

2.1943 年 5—8 月,美国洛杉矶光化学烟雾事件

过程:洛杉矶位于美国西南海岸。早期这里仅仅是一个牧区的小村,至加利福尼亚金矿发现后,人口剧增,很快成为名闻遐迩的大城市,单是汽车就增加了数百万辆。于是,这个依山傍水、风光明媚的城市,简直变成了拥挤不堪的汽车城。每年 5—8 月,在强烈阳光的照射下,在城市上空常常出现迷漫天空的浅蓝色烟雾,致使整座城市变得浑浊不清(图 1-2)。

图 1-2　美国洛杉矶光化学烟雾事件

危害:这种烟雾刺激人的喉、鼻,引发咽喉发炎、头痛等许多疾病,同时使远在 100 千米之外的高山上的柑橘减产,松树枯黄。

原因:经研究发现,光化学烟雾是大量汽车排放的尾气所致。这些成分复杂的汽车尾气,在洛杉矶三面环山的特定地势下,使市区大气的水平流动相对缓慢,他们在强烈阳光的照射下就能产生臭氧,并发生一系列化学变化危害人们的健康。因此,人们把这种城市上空的浅蓝色烟雾

称之为光化学烟雾。据报道，当洛杉矶发生光化学烟雾之时，在飞机上明显可见洛杉矶光化学烟雾是汽车尾气造成的。洛杉矶光化学烟雾事件是汽车尾气所造成的污染公害的典型实例。

3.1948 年 10 月 26—30 日，美国多诺拉事件

过程：多诺拉是美国宾西法尼亚州某河谷中的小镇。1948 年 10 月 26—30 日，这里大部分地区受反气旋逆温控制，且 26—30 日持续有雾，致使大气污染物在近地层大气中集聚（图 1-3）。

图 1-3　美国多诺拉事件

危害：这期间，全镇有 591 人（占全镇总人数 1375 人的 43%）相继暴病。症状为喉痛、流鼻涕、干渴、四肢酸乏、咳痰、胸闷、呕吐、腹泻等症状，死亡 17 人。据估计，事件发生期间，空气中 SO_2 浓度为正常值的数倍，并发现有尘粒。

原因：分析认为，SO_2 及其氧化作用的产物同大气中的尘粒结合是致害因素。主要致害物是 SO_2 与金属元素，以

及金属化合物相互作用的生成物。

4.1952 年 12 月 5—8 日,英国伦敦烟雾事件

过程:素有雾都之称的英国伦敦,1952 年 12 月 5—8 日又被浓雾笼罩。这期间许多人突然患呼吸系统疾病,一下住满了伦敦的各家医院(图 1-4)。

图 1-4　英国伦敦烟雾事件

危害:4 天中,死亡人数较常年同期增加 4000 多人,死亡者以 45 岁以上最多,约是平时死亡人数的 3 倍,1 岁以下的死亡较平时增加 1 倍。事件发生的 1 周中,因支气管炎、冠心病、肺结核、心脏衰竭的死亡人数分别是平时同类病死亡人数的 9.3 倍、2.4 倍、5.5 倍、2.8 倍,因肺炎、肺癌、流感等呼吸系统疾病死亡的人数较平时均有成倍增长。事件后的两个月里又有 8000 多人死亡。

原因:人们就此事件分析认为,这与伦敦当时大量的耗煤有关。事件期间尘粒浓度最高达 4.46 毫克/米^3,为平时的 10 倍,SO_2 浓度最高达平时的 6 倍,在浓雾的特定条件下,烟雾中的 Fe_2O_3 促使 SO_2 氧化成 SO_3,从而形成

H_2SO_4,并凝在微尘上,从而形成酸雾,成为这一事件的杀手。

5.1953—1956 年,日本水俣病事件

过程:在日本南部九州湾有一个叫水俣的小镇,这里居住着 4 万居民,以渔业为生。1939 年开始,日本氮肥公司的合成醋酸厂开始生产氯乙烯,工厂的生产废水一直排放入水俣湾。

危害:1972 年据环境厅统计,水俣镇共患水俣病 180 人,死亡 50 多人,就在新潟县阿赫野川亦发现 100 多位水俣病患者,8 人死亡。据报道,患者人数远不止这些,仅水俣镇的受害居民,即达万余人。

原因:该公司在生产氯乙烯和醋酸乙烯时,使用了含汞的催化剂,使废水中含有大量的汞。这种汞在水体中,被水中的鱼食用,在鱼体内转化成有毒的甲基汞。人食用鱼后,汞在人体内聚集从而产生一种怪病:患者开始时,只是口齿不清,步履蹒跚,继而面部痴呆,全身麻木,耳聋眼瞎,最后变成精神失常,直至躬身狂叫而死。

6.1955—1963 年,神通川骨痛病

过程:在日本富山平原上有一条河叫神通川。多年来,两岸居民用河水灌溉农田,使万亩稻田飘香。自从三井矿业公司在神通川上游开设了炼锌厂后,发现有死草现象。1955 年以后就流行一种不同于水俣病的怪病:对死者解剖发现全身多处骨折,有的达 73 处,身长也缩短了 30 厘

米。这种起初不明病因的疾病就是骨痛病。

危害:有报道说,到 1972 年 3 月,骨痛病患者已达到 230 人,死亡 34 人,并有一部分人出现可疑症状。

原因:直到 1963 年,方才查明,骨痛病与三井矿业公司炼锌厂的废水有关。原来,炼锌厂成年累月向神通川排放的废水中含有金属镉,农民引河水灌溉,便把废水中的镉转到土壤和稻谷中,两岸农民饮用含镉之水,食用含镉之米,便使镉在体内积存,最终导致骨痛病。

7.1961 年,日本四日市事件

过程:四日市位于日本东部海湾。1955 年这里相继兴建了十多家石油化工厂,化工厂终日排放的含 SO_2 的气体和粉尘,使昔日晴朗的天空变得污浊不堪(图 1-5)。

图 1-5　日本四日市事件

危害:1961 年,呼吸系统疾病开始在这一带发生,并迅速蔓延。据报道患者中慢性支气管炎占 25%,哮喘病患者占 30%,肺气肿等占 15%。1964 年这里曾经有 3 天烟雾不散,哮喘病患者中不少人因此死去。1967 年一些患者因不堪忍受折磨而自杀。1970 年患者达 500 多人。1972 年全市哮喘病患者 871 人,死亡 11 人。

原因:据报道,事件前四日市每年 SO_2 和粉尘排放量多达 13 万吨,大气中 SO_2 浓度超过标准 5~6 倍,烟雾厚达 500 米,其中含有害的气体和金属粉尘,他们相互作用生成硫酸等物质,是造成哮喘病的主要原因。

8.1968 年,日本米糠油事件

过程:米糠油事件发生在日本北九州市、爱知县一带。生产米糠油在脱臭的工艺中,使用多氯联苯做载体。由于生产的失误,致使米糠油中混入了多氯联苯。

危害:结果有 1400 人食用后中毒。4 个月后,患者猛增到 5000 余人,并有 16 人无故丧生。这期间实际受害人在 13000 人以上,而且由于米糠油中的黑油做家禽饲料,造成数 10 万只鸡死去。

原因:生产工艺中使用了剧毒物质,导致米糠油混入了脂溶性特征的多氯联苯,造成数量众多的食用者中毒。

9.1986 年 4 月 26 日,苏联切尔诺贝利核泄漏事件

过程:1986 年 4 月 26 日凌晨 1 时,距苏联切尔诺贝利 14 千米的核电厂第四号反应堆,发生可怕的爆炸,一股放射性碎物和气体(包括碘-131、铯-137、锶-90)冲上 1 千米的高空。这就是震惊世界的切尔诺贝利核污染事件(图 1-6)。

图 1-6　苏联切尔诺贝利核泄漏事件

危害:事件发生以后,核电站 30 千米范围内的 13 万居民不得不紧急疏散。这次核泄漏造成苏联 10000 多平方千米的领土受污染,其中乌克兰有 1500 平方千米的肥沃农田因污染而废弃荒芜。被污染的农田和森林面积大约相当于美国弗吉尼亚州的面积。乌克兰有 2000 万人受放射性污染的影响。截至 1993 年初,大量的婴儿畸形或残疾,8000 多人死于和放射有关的疾病。其远期影响在 30 年后仍产生作用。

原因:核电厂反应堆巨大爆炸引发严重的核泄漏。

2011 年 3 月 11 日,日本(世界上核电站最多的国家)福岛核电站又因海底大地震引发海啸,继而造成核电站冷却系统失效,发生影响范围远超切尔诺贝利核泄漏事件的核泄漏事故,并波及多家核电站停止运行。也影响到我国重新审慎核电建设规划。

10.1984 年 12 月 3 日,印度博帕尔事件

过程:1984 年 12 月 3 日,美国联合碳化公司在印度博

帕尔市的农药厂因管理混乱,操作不当,致使地下储罐内剧毒的甲基异氰酸酯因压力升高而爆炸外泄。45 吨毒气形成一股浓密的气雾团,以每小时 5000 米的速度袭击了博帕尔市区(图 1-7)。

危害:死亡近 2 万人,受害 20 多万人,5 万人失明,孕妇流产或产下死婴,受害面积 40 平方千米,数千头牲畜被毒死。

图 1-7　印度博帕尔事件

原因:农药厂管理不当,致使地下储罐内剧毒的甲基异氰酸酯因压力升高而爆炸外泄,导致严重污染。

从上述污染事件看,工业发达国家在发展过程中,由于制度原因,初始阶段往往是先污染后治理,再逐步完善环境保护法律法规和管理制度。

(二)中国近年来最严重的十大环境污染事件

1.2005 年 11 月 13 日,松花江重大水污染事件

过程:中国石油吉林石化公司双苯厂苯胺车间发生爆炸事故。事故抢险中约 100 吨苯、苯胺和硝基苯等有机污

染物流入松花江。由于苯类污染物是对人体健康有危害的有机物,因而导致松花江发生重大水污染事件。哈尔滨市政府随即决定,于11月23日零时起关闭松花江哈尔滨段取水口,停止向市区供水,哈尔滨市的各大超市无一例外地出现了抢购饮用水的场面(图1-8)。

图1-8　松花江重大水污染事件

危害:截至2005年11月14日,共造成5人死亡、1人失踪,近70人受伤。爆炸发生后,约100吨苯类物质(苯、硝基苯等)流入松花江,造成了江水严重污染,沿岸数百万居民的生活受到影响。爆炸导致松花江江面上产生一条长达80千米的污染带,主要由苯和硝基苯组成。污染带通过哈尔滨市,该市经历长达5天的停水,是一起工业灾难。2005年11月21日,哈尔滨市政府向社会发布公告称全市停水4天,11月22日,哈尔滨市政府连续发布2个公告,因为上游化工厂爆炸导致了松花江水污染,动员居民储水。2005年11月23日,国家环保总局向媒体通报,受中国石油吉林石化公司双苯厂爆炸事故影响,松花江发生重大水污染事件。

原因:爆炸事故的直接原因有两点。①硝基苯精制岗位外操人员违反操作规程,在停止粗硝基苯进料后,未关闭预热器蒸气阀门,导致预热器内物料气化。②恢复硝基苯精制单元生产时,再次违反操作规程,先打开了预热器蒸汽阀门加热,后启动粗硝基苯进料泵进料,引起进入预热器的物料突沸并发生剧烈振动,使预热器及管线的法兰松动、密封失效,空气吸入系统,由于摩擦、静电等原因,导致硝基苯精馏塔发生爆炸,并引发其他装置、设施连续爆炸。污染事件应急处置存在六点失误。①中国石油吉林石化公司双苯厂对可能发生的事故会引发松花江水污染问题没有进行深入研究,有关应急预案有重大缺失。②吉林市事故应急救援指挥部对水污染估计不足,重视不够,未提出防控措施和要求。③中国石油天然气集团公司和股份公司对环境保护工作重视不够,对吉林石化公司环保工作中存在的问题失察,对水污染估计不足,重视不够,未能及时督促采取措施。④吉林市环保局没有及时向事故应急指挥部建议采取措施。⑤吉林省环保局对水污染问题重视不够,没有按照有关规定全面、准确地报告水污染程度。⑥国家环保总局在事件初期对可能产生的严重后果估计不足,重视不够,没有及时提出妥善处置意见。

2.2006 年 2—3 月,河北白洋淀死鱼事件

过程:2006 年 2—3 月,素有“华北明珠”美誉的华北地区最大淡水湖泊白洋淀,接连出现大面积死鱼。调查结果

显示,死鱼事件的主因是水体污染较重、水中溶解氧过低,最终造成鱼类窒息(图 1-9)。

危害:据统计,河北任丘市所属 6400 公顷水域受到污染,水色发黑,有臭味,网箱中养殖鱼类全部死亡,水面漂浮着大量死亡的野生鱼类,部分水草发黑枯死。

图 1-9 河北白洋淀死鱼事件

原因:①保定市及有关县(市、区)污水处理厂建设严重滞后,大量未经处理的工业和生活污水直接进入白洋淀。②满城县造纸业发展失控,污水排放量已增加至每天 80000 吨,只有 30000 吨经过集中处理,其余 50000 吨只是经过厂区简单处理即排入漕河。③白洋淀水位长年偏低,且今年补水较晚。④部分企业环保意识淡薄,存在偷排偷放污染物问题。

3.2007 年 5 月,太湖水污染事件

过程:江苏省无锡市城区的大批市民家中自来水水质突然发生变化,并伴有难闻的气味,无法正常饮用。无锡市民饮用水水源来自太湖(图 1-10)。

危害：无锡市民纷纷抢购超市内的纯净水，街头零售的桶装纯净水也出现了较大的价格波动。

原因：市政府称是持续高热造成的，国家环保总局认为既是天灾也是人祸。民间普遍认为是政府为了经济业绩大量兴建排污严重的化工厂，却对太湖污染治理不力造成了今天的恶性事件，而地方政府的弄虚作假，使得太湖污染问题日益严重。有研究显示，无锡水污染事件主要是由于水源地附近蓝藻大量堆积，厌氧分解过程中产生了大量的氨气、硫醇、硫醚以及硫化氢等异味物质。

图 1-10　太湖水污染事件

4.2007 年 6 月，巢湖、滇池蓝藻暴发

巢湖、滇池也不同程度地出现蓝藻。安徽巢湖西半湖出现了区域在 5 平方千米左右的大面积蓝藻，由于西半湖不作为饮用水源，所以对当地影响不大，但随着持续高温，巢湖东半湖也出现蓝藻。

滇池也因连日天气闷热，蓝藻大量繁殖。在昆明滇池海埂一线的岸边，湖水如绿油漆一般，并伴随着阵阵腥臭。

巢湖、滇池蓝藻的连续暴发，为该区域水污染综合治理敲响了警钟（图 1-11）。

图 1-11　蓝藻暴发

5.2008 年 6 月，云南阳宗海砷污染事件

过程：2008 年 6 月，环保部门发现阳宗海水体中砷含量出现异常之后，立即展开了调查。在发现阳宗海水质中砷含量超过饮用水标准含量 0.1 倍后，立即要求停止以阳宗海作为饮用水水源地（图 1-12）。

图 1-12　云南阳宗海砷污染事件

危害：直接危及 20000 人的饮水安全。从 2008 年 7 月 8 日

起,沿湖周边民众及企业全面停止从中取水作为生活饮用水。

原因:调查组经过全面排查和对部分企业进行重点调查,并通过各种证据资料全面分析后,认定锦业公司为主要污染源。调查组在锦业公司附近的25米处泉眼里除了发现砷以外,还发现总磷等特征污染物。

6.2009年7月,湖南浏阳镉污染事件

过程:2003年,湖南省浏阳市镇头镇双桥村通过招商引资引进长沙湘和化工厂,次年4月,该厂未经审批建设了1条炼铟生产线,并长期排放工业废物,在周边形成了大面积的“镉”污染地带,进而导致植被大片枯死,部分村民因体内“镉”超标出现头晕、胸闷、关节疼痛等症状,两名村民因此死亡。2009年7月29—30日,当地上千名村民因不堪污染之害,围堵镇政府、派出所。事后,与制造污染有关的企业负责人、政府官员等受到刑事追究、停职等处理(图1-13)。

图1-13　湖南浏阳镉污染事件

与此事件类似的污染事件也有报道。2009年8月,陕西凤翔县接受检测的 1016 名儿童中，共查出 851 名儿童血铅超标，进而引发恶性群体性事件。随后，湖南武冈市被查出 1354 名儿童血铅超标，福建上杭县被查出 121 名儿童血铅超标。12 月下旬，广东清远市数十名儿童也被集体查出铅中毒。经调查，这些铅中毒事件均与当地企业的污染排放有关，重金属污染问题由此引起有关部门高度重视。2009 年有调查报告披露，被称为“有色金属之乡”的湖南，采选、冶炼、化工等企业多分布于湘江流域，由此导致了严重的重金属污染。多年以来，湖南的汞、镉、铬、铅排放量位居全国第一位，砷、二氧化硫和化学耗氧量的排放量居全国前列。湘江流域鱼类大幅减少，大片农田无法耕种，相当地域的鱼类、粮食、蔬菜不能食用，饮用水安全受到威胁。

7.2010 年 7 月 3 日和 7 月 16 日，福建紫金矿业溃坝事件

过程：紫金矿业集团股份有限公司紫金山金铜矿湿法厂先后两次发生含铜酸性溶液渗漏（图 1-14）。

图 1-14　福建紫金矿业溃坝事件

危害：造成汀江重大水污染事故，直接经济损失达3187.71万元。随后，紫金矿业副总裁因污染事件被刑拘，上杭县县长因污染案停职。

原因：尾矿库排水井在施工过程中被擅自抬高进水口标高、企业对尾矿库运行管理安全责任不落实。

8.2010年7月16日，大连新港原油泄漏事件

过程：大连新港一艘利比里亚籍30万吨级的油轮在卸油附加添加剂时引起了陆地输油管线发生爆炸，并引起旁边5个同样为10万立方米的油罐泄漏。直到7月22日，泄漏才被基本堵死(图1-15)。

图1-15　大连新港原油泄漏事件

危害：此次事故至少污染了附近50平方千米的海域，影响范围达100平方千米。

9.2011年8月，云南曲靖铬渣污染

过程：2011年8月，有人爆料5000吨铬渣被倒入水库，事后云南曲靖将受污染水排入珠江源头南盘江。新华

社记者赶赴曲靖，就此事进行调查核实。随后爆出“死亡村”、倾倒和无防护堆放铬渣的真相引发各大新闻媒体的专题报道(图 1-16)。

图 1-16　云南曲靖铬渣污染

原因：云南陆良和平化工有限公司为了节省运费，将本应送往专业处理厂家处理的剧毒废料，随意丢弃在了曲靖市麒麟区的多个地点，总量达到了 5222.38 吨，倾倒点污染土壤 9130 吨，水体约 4.3 万立方米，并造成附近牲畜死亡。而紧邻珠江源头南盘江的陆良和平化工厂堆放了 17 年的剧毒化工废料铬渣，最多时达 28 万吨。被污染的积水潭中，蓄水 100 亿立方米左右，富含铬污染残留水的颜色让人震惊。

10.2012 年 1 月 15 日，广西龙江镉污染事件

过程：广西龙江河拉浪水电站网箱养鱼 2012 年 1 月 15 日出现少量死鱼现象被网络曝光，龙江河宜州市拉浪乡码头前 200 米水质重金属超标 80 倍。时间正值农历春节，龙江河段检测出重金属“镉”含量超标，使得沿岸及下游居

民饮水安全遭到严重威胁。当地政府积极展开治污工作，以求尽量减少对人民群众生活的影响(图 1-17)。

图 1-17　广西龙江镉污染事件

危害:专家称,由于泄露量之大在国内历次重金属环境污染事件中都是罕见的,此次污染事件波及河段将达到 300 千米。因担心饮用水源遭到污染,处于下游的柳州市市民出现恐慌性屯水购水,超市内瓶装水被市民抢购。

原因:2012 年 1 月 25 日从广西河池市应急处置中心获悉,广西龙江河“镉”污染事故已确定两个违法排污对象,分别是广西金河矿业股份有限公司和金城江鸿泉立德粉厂。

我国因经济发展晚于国外经济发达国家,导致我国的环境保护法律法规等立法滞后于国外发达国家。但是,我国的环境保护理念上就首先提出了建设项目环保设施与主体工程必须同时设计、同时施工、同时投产的“三同时”制度等管理要求,总体上来说相对减缓了我国环境污染速率。但随着近几十年经济高速发展，环境污染问题仍日益突出。环境保护法律法规仍需进一步健全，管理制度和标准亦需要与时俱进。

三、污染防治

（一）污染防治主要措施

这一阶段的环境保护不论是“事前”还是“事后”，采取的环境保护措施主要是针对污染排放单位的污染物类别、排放总量、排放强度分别建设相应的环保设施。

污水处理设施有：清污分流、雨污分流等管网系统；城市污水处理厂、工业园区污水处理厂、企业污水处理站；固液分离和污泥脱水处理设施等。

大气污染物处理设施主要建设在大气污染物排放源头，常见的有：旋风除尘、水膜除尘、布袋除尘、静电除尘；脱硫、吸附和脱附；催化燃烧等。

减震降噪污染治理主要是污染源头治理，主要有：减震垫（器）、柔性管接头、隔音室（层）、消声器、反射板、吸声尖劈、多孔吸声板和空间吸声体等。

固体废物处理处置设施有：生活垃圾卫生填埋场、生活垃圾焚烧发电厂、危险废物稳定化处理厂、危险废物安全填埋场、危险废物焚烧处理厂、医疗废物高温蒸煮处理设施等。

另外，开展节能减排、使用清洁能源和新能源，提高水资源重复利用率，大力推行清洁生产，推广循环经济技术和建设项目，可减少污染物排放，促进废物综合利用等，有助于从源头减少各类污染物排放总量。

（二）污染物“点源”治理

在环境保护初始阶段，污染防治措施总体而言都属于“点源”治理，点源“小”则是单独污染物排放源，“大”则是某局部区域或城市的多点污染物排放源。前者直接安装污染物治理装置，后者将同类污染物收集后集中处理。

当环境保护进入成熟阶段，在原有污染物防治的基础上，加强了园区规划管理，打击“散、乱、污”企业和排污企业进园区。并积极引入生态治理理念，如种植树木、牧草和利用人工湿地治理污水等。但采取的生态措施未上升到全局考虑，仍停留在为“点源”污染治理服务的范畴。

（三）污染物防治由“点”向“面”

随着环境保护工作的不断深入，污染治理逐渐进入深水区。为了根本扭转生态环境继续恶化的趋势，我国环境保护工作在前期的基础上，提出和陆续实施了污染物总量控制、流域（区域）综合治理等措施，以及重金属污染治理、蓝天保卫战、城市环境综合整治、农村生活污水治理、美丽乡村建设、土壤修复、黑臭水体整治、湖泊生态修复等专项治理项目，其中有部分仍在实施过程中。

在项目建设必须符合环境保护方面，完善了生态红线、规划环评等具有可操作性的政策、法规、环境管理等措施和手段,使项目建设更好地符合生态环境和环境保护的要求。

第二章　广义的环境保护

社会经济快速发展与“点源”污染与生态环境的矛盾日益突出。在生态文明时代，环境保护也随之不断深化，改变单纯以自然资源利用与环境污染控制阶段，逐步进入了以生态需求模式，环境保护进化为全要素管理新阶段。

以习近平新时代中国特色社会主义思想为指导，积极践行绿色发展理念，自觉承担企业环境保护主体责任，主动作为、奋发有为、担当善为，大力推进“助力绿色能源发展、实施清洁电能替代、提升绿色出行水平、践行绿色电网发展、开展环保科技和管理创新、加强危险废物管控”六大工程，持续提升技术能力，加快能源转型，服务好生态文明建设，让天更蓝、山更绿、水更清、环境更优美，为建设美丽中国贡献更大力量。

2021 年 4 月 22 日世界地球日，习近平主席在美国总统拜登主持的气候峰会上发言。提出中国将严控煤电项目，在“十四五”（2021—2025）期间严控煤炭消费增长，“十五五”（2026—2030）期间逐步减少。他还强调为实现去年提出的在2030年前碳达峰和2060年前碳中和的承诺，中国正在制订碳达峰行动计划，支持有条件的地方和重点行业、重点企业率先碳达峰。

对于外界认为中国应该进一步提升气候行动力度，争取更早碳达峰，中方明确回答："要求中国提前实现碳达峰和碳中和是揠苗助长，中国承诺实现从碳达峰到碳中和的时间，远远短于发达国家所用时间，需要中方付出艰苦努力。"这是因为中国和发达国家应对气候变化处于不同阶段，中国现在的目标"已经很了不起了"。

2021年5月底，生态环境部为了落实国家碳减排目标，及进一步遏制高耗能、高排放项目的盲目发展，推动绿色转型和高质量发展提出了许多政策，如加强生态分区管控和规划约束，加强高耗能、高排放行业产业布局和结构调整等，列出生态环境准入清单，落实生态环境分区管控要求，将环境质量底线作为项目审批的硬性约束条件。强化项目建设环境影响评价效力，严把建设项目环境准入关，推进高耗能、高排放行业减污降碳协同控制，提升清洁生产和污染防治水平，并将碳排放影响纳入环境影响评价体系，等等。

一、经济发达国家环境保护的重点

对于社会经济不同发展阶段的国家，环境保护的重点亦有不同。根据各国国情的不同，大多数发达国家由于人口较少，人均土地面积较大，城市化程度较高，基础设施建设基本完善。且经过百年来工业革命和经济高速发展，整体社会基本跨过资本积累阶段，发展阶段和制造业污染等矛盾不突出，环境保护的重点转为生态环境保护阶段。如经济发达国家实现碳达峰的难度明显低于发展中国家，但由于传统的经济发展模式和传统技术的制约，与绿色经济模式和生态环境保护也有巨大需求。在《巴黎协定》气候议题讨论和签署上曾爆发的激烈对抗就可看出经济发达国家与发展中国家在碳减排议题中如何分配碳减排指标上有着巨大矛盾，表现突出的是经济发达国家为了维护既得利益，限制、制约发展中国家经济发展提出的以碳排放现状减排指标，我国提出的以全人类生存权和发展权考虑，兼顾经济落后中国家的发展权，合理分配碳减排指标。尤其是以欧、美为代表发达国家的人均碳排量远超全球人均碳排放量，理应承担更大的碳减排责任与义务。

世界银行正拟制定一项新五年气候行动计划，根据该计划的初步版本，内容虽仍在讨论是否未承诺停止资助化石燃料项目，但主要原则为承诺2023年7月前气候行动计划将保证符合绿色要求，与《巴黎协定》保持一致。

美国政府在2021年3月宣布了2万亿美元基建计划，但实际结果和成效有待观察。该计划优先安排建设全国电动车充电网络，如建50万座电动车充电站；在电动车行业投资1740亿美元（折合人民币1.14万亿元）；将全国中小学20%的校车由燃油车改为电动车等；推动海上风电项目，鼓励对海上风电投入巨资，加强供应链，计划在2030年装机容量提高至30吉瓦，可为1000万户家庭供电，每年可减少7800万吨二氧化碳排放。

英国拨款3000万英镑（折合人民币2.73亿元），推进电动车、氢能汽车发展，促进和研究电池技术、电动车生产链及氢能汽车等领域发展，含940万英镑将用于22项创新汽车技术研究，包括氢能汽车与锂电池汽车制造。

发达国家竞相布局和推动电动车等新能源技术应用等，其目的一是迎合碳减排这个符合全球生态环境的目标，落实《巴黎协定》要求；二是抢占技术制高点，继续把持其技术优势。

需要警觉的是发达国家对碳减排的认识与发展中国家的利益是有矛盾的，主要体现在发达国家在碳减排进程中夹杂私货，不愿平等承担碳减排义务而牺牲发展中国家利益，限制发展中国家的发展与进步。

二、我国社会经济快速发展与点源污染及污染防治的矛盾日益突出

发展中国家正处于经济发展与社会进步过程中，因社会需求缺口大，受环境制约的矛盾逐渐暴露并变得十分突出。不断深化与发展的环境保护向生态文明时代需求进化为以环境污染要素的管理与控制，从根本上是转变经济

发展模式,促进社会经济的可持续发展。

导致全球变暖的元凶“二氧化碳”大量排放,已经严重威胁到我们赖以生存的生态环境。在这一背景下,碳中和势在必行,目前我国的碳排放量约160亿吨,考虑到如此巨大的碳排放总量,“十四五”规划提出要在2030年实现碳达峰,该目标的提出将对中国的能源结构与资源配置方式产生革命性的颠覆,标志着一个以化石能源为主的发展时代开始结束,中国的资源配置将走向以循环经济为主的供给模式,也是我国经济发展转型的一个机遇期。

碳排放重点行业有电力、钢铁、冶金、水泥、石油化工等碳排放压力较大的传统行业。为此,将大力推广和建设一批绿色经济项目。

(一)国家应对策略与探索

绿水青山就是金山银山。贯彻落实绿色发展理念,准确把握习近平总书记生态文明建设重要论述精神,顺应能源清洁低碳转型新趋势,以更高的站位、更绿色的方式统筹推进各级电网建设,充分发挥电网平台作用,推动加快形成绿色生产和消费方式,助力疫后经济“绿色复苏”和可持续发展,为美丽中国建设贡献。今天非碳经济已经成为全球共识,而新能源车及相关产业链、非碳发电与相关产业链、绿色建筑等技术相对成熟且机会较多,也是近期发展的主要方向。鉴于碳达峰的时间越早,峰值越低,对实现碳中和越有利。在《巴黎协定》签署之后,我国就开始了布局和行动。针对低碳和碳减排行业、碳捕集等开展了探索和行动。

我国在出席国际能源署第26届联合国气候变化大会净零排放视频峰会上宣布，中国下一步将大力发展非化石能源，构建以新能源为主体的新型电力系统，推动绿色低碳技术实现重大突破、加快能源消费方式绿色转型和加强清洁能源转型国际合作，推动碳达峰、碳中和目标的实现。

实施清洁电能替代。推动将电能替代工作纳入地方政府“十四五”规划，设定工作目标，确定工作任务，建立相应的政策、规定，全面推动电能替代工作的开展，提高电能在终端能源消费中的比重。

如孝感市促进电炒茶、电烘干、电餐饮等电能替代，年替代电量4亿千瓦时，相当于减少4.9万吨标准煤消耗，提高电力在终端能源中所占的比重，提升居民生活电气化水平，以绿色低碳高效的充足电能，全力服务美丽孝感建设，积极发挥电力先行官作用，助力孝感市清洁、低碳发展。

根据我国电力以火电为主的能源产业格局看，产生碳排放的燃料包括煤炭、石油、天然气等，占能源消耗的84%，其中火电占比72%，电力领域碳排放占全国碳排放总量的30%以上，可见我国电力结构低碳转型的任务十分艰巨，为此鼓励发展不产生碳排放的风电、水电、光伏发电等，并开展储能、调配、特高压输电等技术，完善配套设施建设，消除目前存在的“弃光”等不利于光电、风电产业发展的现象，将低碳发电占比从目前16%逐步提高。

开展环保科技和管理创新。积极开展电网环境保护领域科研和新技术推广工作，如以提高废变压器油循环使用效率为主题研发的专利《一种处理变压器废油的吸附剂及其生产方法》荣获第二十一届中国专利优秀奖和国家电网有限公司2020年技术发明奖三等奖和专利奖三等奖、湖北省专利金奖。发明《一种变电站导流式事故集油池》《一种分布式电源并网接口装置》等多项实用新型专利。参与《湖北电网环境保护关键技术及应用》荣获湖北省人民政府科技进步奖三等奖，成果应用于14个地市供电公司取得良好环保效益和经济效益。强化绿色运营，《劣化变压器油回收再利用》《搭建生态环保数据平台》等案例入选国家电网有限公司2019年可持续发展案例集。

践行绿色电网发展。深度参与孝感市生态保护红线评估，将与生态保护红线存在位置冲突的“白鹤滩至江苏、白鹤滩至浙江特高压输电线路”等规划电网项目调出生态红线范围，避免电网项目对生态环境影响。率先在省内开展电力设施布局规划环境影响评价，从电网项目规划源头规避环保违法违规风险。电网建设项目环保手续全部依法合规，环境敏感因子均能达标排放，变电站、输电线路环境敏感因子监测做到全覆盖。率先在省内实施生态友好施工，彰显绿色电网建设的孝感孝南长湖220千伏输变电工程荣获国家电网有限公司优质工程金奖，系省内首个获此殊荣的220千伏电网项目。以绿色施工为主题总结提炼的《强化建设期环保技术监督》典型经验在国家电网有限公司系统内交流推广。

狠抓电网环保退役报废环节危废管理,加强危险废物管控,建成省级废变压器油回收处理中心,对省内各供电单位产生的废变压器油统一回收、处理,畅通工业固体废物减量化、资源化渠道,实现变压器油在电力设备循环再利用方式上的突破,提高变压器油使用周期,减少化石能源消耗,极大降低对环境影响。建成市级废铅酸蓄电池暂存仓库,规范危险废物贮存相关技术标准,将各变电站产生的废铅酸蓄电池进行集中存储,通过公开招标委托有资质单位进行统一处置。2019—2020年共依法合规处置废铅酸蓄电池10吨。严防六氟化硫气体直接排放,确保六氟化硫气体应收尽收,2019—2020年共回收电气设备内六氟化硫气体1900千克,相当于向大气减排二氧化碳4.54万吨,碳减排生态效益显著。

钢铁、水泥行业减排首要步骤是推动生产工艺改进和基础原材料的颠覆。如以钢铁行业为例,作为碳排放大户,钢铁行业如何摘掉高碳的帽子,成为业界关注的重点。研究用氢替代焦炭,提高能源利用效率和减少化石能源消耗等措施,减少碳排放。2020年,我国钢铁蓄积量将达到100亿吨,废钢资源年产出量将超过2.1亿吨,到2025年,我国钢铁蓄积量将达到120亿吨,废钢资源年产出量将达到2.7亿~3.0亿吨；2030年，我国钢铁蓄积量将达到132亿吨，废钢资源年产出量将达到3.2亿~3.5亿吨。届时，以废钢为原材料的电炉炼钢工艺必将在粗钢产量总量中占据重要地位。近些年，中国钢铁工业在吨钢能耗和吨钢排放量方面都取得了明显进步，但是由于21世纪以来粗钢产出总量剧增，从而引起钢铁工业的总能耗、总排放量非但没有下降，反而明显增加。目前我国钢铁行业能源消费总量约占全国能源费总量的1/9，占全球钢铁碳排总量的60%以上。有效回收利用可燃性气体，通过有效措施回收转炉煤气，减少煤气的放散率，并大幅提高钢铁行业水资源循环利用率。

汽车产业链作为国家的支柱产业之一，也是碳实现达峰最艰难的行业之一。国家在促进汽车消费的基础上，实现碳达峰必须力推新能源车，如能推动顺畅，在2030年新能源车的占比达到50%左右，同时控制燃油车的油耗加速下降，促进汽车行业全面碳达峰。为此，我国在2021年安排新能源车下乡，是提高新能源车在汽车保有量中的比例，促进我国汽车行业的技术进步和尽早实现碳达峰的有利举措，可为下一步碳中和奠定坚实的基础。如湖北省孝感市就为提升当地绿色出行水平，顺应新能源车消费新趋势，积极服务新能源车产业发展，引导社会公众践行低碳、环保生活方式。组织编制的《孝感市中心城区电动汽车充电基础设施专项规划（2017—2030年）》获市政府批复，大力推动电动汽车充电网络建设。在全省率先成立新能源车服务公司，在孝感市民之家等公共区域开展公共充电网络建设，截至2021年6月，孝感市已投运充电站29座、充电桩242个，基本实现城区“车桩相随”，市域高速公路全覆盖。

推广应用绿色建材，发展县城绿色建筑，不断提高新建筑中绿色建筑的比例，推进老旧小区节能改造和功能提升，大力推广绿色建材。提升县城能源使用效率，大力发展适应当地资源禀赋和需求的可再生能源，推广清洁能源应用，推进北方县城清洁取暖，降低传统石化能源在建筑用能中的比例。

提出应对气候变化，非常重视甲烷气体的排放。“十四五”期间将围绕甲烷排放控制制订相关的行动方案，推动油气、煤炭等领域的甲烷排放控制，从政策、技术、标准各方面采取措施，推动形成甲烷排放控制的相关体系。

（二）行业动向与近期目标

国家电网：2021年3月30日我国氢能项目“可离网型风/光/氢燃料电池直流互联与稳定控制技术”实施方案论证暨启动会在浙江宁波召开，旨在建成“氢电耦合直流微网示范工程”，实现关键设备国产化。

2021年3月31日华能海南昌江核电二期工程作为“十四五”规划首个核电项目开工建设，标志着作为清洁能源的核电工程将在零碳发电领域发挥不可替代的作用再次被肯定。

石化行业:承诺提前10年实现碳中和,"十四五"期间规划建设1000座加氢站或油氢合建站,打造"油、气、氢、电、非"综合能源服务商;实现大突破,大力发展可降解材料、高端聚烯烃、高端合成橡胶等新材料,并积极推进低碳化进程。

汽车行业:投资30亿元发展布局氢能战略,目标是2025年在全球氢能市场进入前三位。

碳资产管理公司与国网上海市电力公司联合,"碳e融"开出首单,标志着供应链企业的"绿色认证"进入实际操作,该单贷款5000万元,利率较银行同期的贷款市场报价利率(LPR)大幅下降,绿色企业将在"绿色认证"政策下享受绿色金融的优惠等等。

三、生态文明是可持续发展的必然

为了深刻理解生态文明建设的内涵,"生态文明建设若干战略研究"(三期)重大咨询研究项目设置了生态文明建设理论研究专题,对生态文明的概念、理论、实施途径、建设方案与对策等方面开展深入的探索,研究提出我国生态文明建设的政策建议。专题组邀请了多位生态文明领域的专家,共同开展系统的理论研究。中国工程院院士、首席咨询专家钱易与清华大学李金惠教授将研究成果编撰成《生态文明建设理论研究》一书,并已由科学出版社正式出版发行。

该书通过梳理从古至今、西方与中国生态思想史脉络,著作描绘了“生态文明”理念的由来与演变。当代中国汲取了以“天人合一”为代表的古代生态思想精髓,对西方众多生态思想中的合理要素进行了吸收和扬弃,在长期的实践探索中逐步构建了具有本国特色的生态文明话语体系。习近平生态文明思想的确立标志着中国生态文明基本价值原则和实践框架范式的建立。

基于生态文明内涵的深入理解,就“生态文明”中“文明”与“生态”的含义进行了深入研究和释疑,分析了中西方学者关于生态文明内涵的相关观点,并对生态文明、绿色发展、可持续发展、循环发展等概念展开了辨析。重点论述了构造文明发展的状态空间、生态文明的范式转换,并阐述了生态文明建设与可持续发展的内在联系。从“五位一体”的角度出发,讨论了生态文明建设融入经济建设、政治建设、文化建设、社会建设的实施途径,深入探讨了生态文明建设中人与自然、人与社会的关系,基于对生态文明视野下的中国社会与中国文化进行了论述。结合对于我国开展的生态文明试点建设的阶段性成果和认识,归纳了建设中国特色生态文明的路径,提出了我国生态文明建设的对策建议。

(一)生态和生态系统

生态一词,现在通常是指生物的生活状态。指生物在一定的自然环境下生存和发展的状态,也指生物的生理特性和生活习性。简单地说,生态就是指一切生物的生存状态,以及它们之间和它与环境之间环环相扣的关系。生态的产生最早也是从研究生物个体而开始的,“生态”一词涉及或应用的范畴也越来越广,人们常常用“生态”来定义许多美好的事物,如健康的、美的、和谐的事物均可冠以“生态”修饰。

1.生态的传统词义

(1)显露美好的姿态。南朝梁简文帝《筝赋》:“丹荑成叶,翠阴如黛。佳人采掇,动容生态。”《东周列国志》第十七回:“(息妫)目如秋水,脸似桃花,长短适中,举动生态,目中未见其二。”

(2)生动的意态。唐杜甫《晓发公安》诗:“邻鸡野哭如昨日,物色生态能几时。”明刘基《解语花·咏柳》词:“依依旎旎、袅袅娟娟,生态真无比。”

(3)生物的生理特性和生活习性。秦牧《艺海拾贝·虾趣》:“我曾经把一只虾养活了一个多月,观察过虾的生态。”

2.生态的现代词义

生态一词源于古希腊语,原意指“住所”或“栖息地”。生态学一词是 1865 年勒特(Reiter)合并两个希腊词语 logos(研究)和 oikos(房屋、住所)构成的生态学(oikologie)一词。德国生物学家海克尔(H.Haeckel)首次把生态学定义为“研究动物与有机及无机环境相互关系的科学”。日本东京帝国大学三好学(1862—1939),出生于日本中部的岐阜县,横跨日本明治、大正、昭和三个时代的杰出植物学者。日本植物学创业期突出贡献者,奠定了日本植物学发展的坚实基础,开创了日本自然资源保护的先河。三好学于1895年把“ecology”一词译为“生态学”,后经武汉大学张挺教授[①]推荐介绍到我国。

生态学的产生最早也是从研究生物个体而开始的。如今,生态学已经渗透到各个领域,当然,不同文化背景的人对生态的定义会有所不同,多元的世界需要多元的文化,正如自然界的生态所追求的物种多样性一样,以此来维持生态系统的平衡发展。

3.生态系统

生态系统(ecosystem)指由生物群落与无机环境构成的统一整体。生态系统的范围可大可小,相互交错,最大的生态系统是生物圈;最为复杂的生态系统是热带雨林生态系统,人类主要生活在以城市和农田为主的人工生态系统中。生态系统是开放系统,为了维系自身的稳定,生态系统需要不断输入能量,否则就有崩溃的危险;许多基础物质在生态系统中不断循环,其中碳循环与全球温室效应密切相关,生态系统是生态学领域的一个主要结构和功能

① 张挺,男,1884年生,安徽桐城人。历任武汉大学教授、生物系主任。毕生从事植物学、生物学、生态学的教学和研究。

单位,属于生态学研究的最高层次。

1935年,英国生态学家,阿瑟·乔治·坦斯利爵士(Sir Arthur George Tansley)受丹麦植物学家叶夫根·尼温(Eugenius Warming)的影响,对生态系统的组成进行了深入的考察,为生态系统下了精确的定义。首次提出生态系统的概念。认为:生态系统是一个由子系统集合的整体。这个系统不仅包括有机复合体,而且包括形成环境的整个物理因子复合体,这种系统是地球表面上自然界的基本单位,它们有各种大小和种类。

1940年,美国生态学家R.L.林德曼在对赛达伯格湖(Cedar Bog Lake)进行定量分析后发现了生态系统在能量流动上的基本特点:①能量在生态系统中的传递不可逆转;②能量传递的过程中逐级递减,每一级的递减率为10%~20%。这也就是著名的林德曼定律。

(二)文明的内涵

1.文明的概念

文明,是人类历史积累下来的有利于认识和适应客观世界、符合人类精神追求、能被绝大多数人认可和接受的人文精神、发明创造的总和。文明是使人类脱离野蛮状态的所有社会行为和自然行为构成的集合,这些集合至少包括了以下要素:家族、工具、语言、文字、宗教、城市、乡村和国家,等等。由于各种文明要素在时间和地域上的分布并不均匀,产生了具有明显区别的各种文明,比如华夏文明、西方文明、阿拉伯文明、古印度文明、波斯文明、大洋文明和东南亚文明等在某个文明要素上体现出独特性质的亚文明。

汉语中“文明”一词，最早出自《易经》，曰“见龙在田、天下文明”（《易乾文言》）。在现代汉语中，文明指一种社会进步状态，与“野蛮”一词相对立。文明与文化这两个词汇有含义相近的地方，也有不同。文化指一种存在方式，有文化意味着某种文明，但是没有文化并不意味“野蛮”。汉语的文明对行为和举止的要求更高，对知识与技术次之。

哲学、宗教、艺术萌芽之前，是没有文明史的，只有莽荒史、原始部落史。

英文中的文明（civilization）一词源于拉丁文“civis”，意思是城市的居民，其本质含义为人民生活于城市和社会集团中的能力。引申后意为一种先进的社会和文化发展状态，以及到达这一状态的过程，其涉及的领域广泛，包括民族意识、技术水准、礼仪规范、宗教思想、风俗习惯以及科学知识的发展，等等。19 世纪之前西方对文明的定义比较狭隘，认为生产方式先进，知识丰富就代表文明，而生产能力低下，礼仪不合西方的定义就是野蛮，所以当对非洲和美洲进行侵略的时候总是定义为文明战胜了野蛮，但是却没有意识到他们的行为其实是真正的野蛮。到了现代西方才逐渐认识到这种对文明的定义是错误的。

文明是使人类脱离野蛮状态的所有社会行为和自然行为构成的集合，这些集合至少包括了以下要素：家族观念、工具、语言、文字、信仰、宗教观念、法律、城邦和国家，等等。

2.文明的分类

由于各种文明要素在时间和地域上的分布并不均匀，产生了具有显而易见区别的各种文明，具体到现代，就是西方文明、阿拉伯文明、东方文明、印度文明四大文明，以及由多个文明交汇融合形成的俄罗斯文明、土耳其文明、大洋文明和东南亚文明等在某个文明要素上体现出独特性质的亚文明。

文明是人类所创造的物质财富和精神财富的总和，一般分为物质文明和精神文明，此外还有把文明三分法、四分法、六分法和其他标准的分法。在分析的同时还应结合在一起理解，其两者间是相辅相成的。

1)物质文明

物质文明是人类改造自然的物质成果。表现为人们物质生产的进步和物质生活的改善，是精神文明的物质基础，对精神文明特别是其中文化建设起决定性作用，物质文明的性质为生产方式所决定。

2)精神文明

精神文明是人类在改造客观世界和主观世界的过程中所取得的精神成果的总和，是人类智慧、道德的进步状态。

一是科学文化方面,包括社会的文化、知识、智慧的状况,教育、科学、文化、艺术、卫生、体育等事业的发展规模和发展水平。

二是思想道德方面,包括社会的政治思想、道德面貌、社会风尚和人们的世界观、理想、情操、觉悟、信念以及组织性、纪律性的状况。

精神文明的作用是为物质文明的发展提供思想保证、精神动力及政治保障,法律保障和智力支持。

3.人类古代文明

学术界普遍承认12个人类古代文明,未能发展为文明的古代文化不列入,但具体起源和留存细节依然需要更多的考古研究去支撑。

华夏文明是所有人类古代文明中唯一完整延续至今的原生文明,此外苏美尔、古埃及、哈拉帕、奥尔梅克也均为原生文明,但如今都已相继被彻底毁灭。它们对周边的文化辐射导致了其他大量次生文明的产生与发展,古典印度,波斯等次生文明延续至今。

苏美尔文明:公元前6000年—公元前2371年。

古埃及文明:公元前5450年—公元639年。

华夏文明(中国):公元前3300至今。

埃兰/波斯文明:公元前2700年至今。

米诺斯文明(克里特):公元前2600年—公元前

1420年。

古印度文明(哈拉帕):公元前2600年—公元前1750年。

两河文明圈(巴比伦、阿卡德、亚述):公元前2371年—公元前539年。

赫梯文明:公元前1700年—公元前1178年。

迈锡尼文明(古希腊青铜时代):公元前1600年—公元前1200年。

印度文明(吠陀/古典印度):公元前1500年至今。

腓尼基文明:公元前1300年—公元前539年。

奥尔梅克文明:公元前1200年—公元前400年。

1)古代文明时期

公元前4000年—公元前1000年,这段时期称作是古代文明时期。古代文明基本都以河流及流域为发源地。不同的时期往往被不同的文明占据。

(1)地中海文明区。

古埃及文明:发源于非洲尼罗河流域,世界最早的文明之一。其历史也可追溯到公元前4000年。古埃及的国土紧密分布在尼罗河周围的狭长地带,是典型的水力帝国。公元前3500年进入高度文明。公元前3100年左右,上埃及国王美尼斯统一上下埃及,开始了史称的埃及王朝时期。

两河文明:发源于亚洲底格里斯河与幼发拉底河流

域,又称美索不达米亚文明。两河文明也是有史可考的亚欧大陆最古老的文明,其文明形成期可以追溯到公元前4000年,当时生活在两河流域的是苏美尔人,建立了苏美尔文明。之后陆续有闪米特人、赫梯人、亚述人、波斯人、马其顿人、罗马人、阿拉伯人和突厥人相继入侵。两河流域继苏美尔人之后最伟大的文明就是由闪米特人汉穆拉比建立的巴比伦。公元前3500年进入高度文明。公元前2374年阿卡德王国建立。两河流域出现最早文字。文字发展处于当时世界最高水平。

爱琴文明:发源于希腊爱琴海地区,形成于公元前2000年左右。公元前1700年进入高度文明。

米诺斯文明:发源于欧洲地中海的克里特岛,又称克里特文明,后被迈锡尼文明所取代。

(2)东亚文明区。

华夏文明:中华文明是世界上历史最悠久的几大文明之一,也是唯一延续不断的文明。并向四方辐射文化影响力,成为东亚文明总进程的核心与引领者。

(3)南亚次大陆文明区。

古印度河文明:发源于亚洲印度河与恒河流域。文明的开始可追溯到公元前3000年,最终形成于公元前2600年左右。主要成就是城市文明。

(4)美洲文明区。

奥尔梅克文明:发源于中美洲,形成于公元前1200年左右。是美洲人类文明的先行者。

2)古典时期文明

公元前1000年到公元500年这段时期,绝大多数古老的原生文明走向衰败或已经绝灭,但更多的新生文明进入繁盛时期,人类世界的开化逐渐走向繁荣。这个时期通常也被称作古典时期。

华夏文明是世界上历史最悠久的几大文明之一,也是唯一延续不断的文明。距今5300年以来,华夏大地各地区陆续进入了文明阶段。距今3800年前后,中原地区形成了更为成熟的文明形态,并向四方辐射文化影响力,成为东亚文明总进程的核心与引领者。

古希腊文明在大约公元前500年到公元前300年间达到鼎盛,创造了灿烂的古希腊文化。随着亚历山大的征服,古典希腊文化被传到整个地中海地区和中东地区。

古罗马文明在公元前300年到公元200年间达到辉煌,建立了幅员辽阔的帝国。

印度文明最繁盛的时期是公元前3世纪前后的孔雀王朝和公元3世纪前后的笈多王朝。

玛雅文明的辉煌时期在大约公元前200年到公元900年间。

失落的文明:科学界普遍认为这些只是传说中的文明,但依然有很多相信者。包括:姆大陆文明、亚特兰蒂斯大陆文明。

4.文明的起源

相关理论存在很多的关于文明如何诞生的理论。大部分的观点比较一致的看法是中央集权的出现是文明存在的起点。因而研究中央集权的出现成了一个焦点。但是所有的理论都还不能解释所有文明的起源,它只能适用于部分的文明。

灌溉系统(或者称为水利系统)是古典文明发展的起源之一,通过灌溉系统的集中管理,逐渐发展出最初的统治阶层,文明由此产生。这种理论认为新石器时代的人们认识到洪涝灾害虽然会毁坏庄稼,但是也能提供更加肥沃的土壤。因此开始修建水坝。然后用来灌溉农田。随着规模的不断扩大,便开始出现专门负责管理灌溉系统的人(现代人理解为"官员")。卡尔·威特福格尔是这一理论的最有力的支持者。但是反对意见认为,当时一些兴盛的城市,其灌溉规模很小;如果由国家管理灌溉,考古发掘的资料应该会更多,而实际情况却相反。而且文献中记载,当时的灌溉系统是由神庙管理,而不是政府机构。也有观点说,灌溉工程是文明发展的结果,而不是起因。

贸易网络作为文明的发展中起着决定作用因素之一。在生态多样化的地区,要获得稀少的资源,就需要贸易机构来组织贸易,这样就需要某种中央集权的形式。但是这种理论对于某些文明是正确的,对于另外一些文明却不正确。

环境与社会的限制是罗伯特·卡内罗提出的一种理论。认为由于地理环境的影响,例如山脉、海洋对人类的阻隔,才产生了文明。由于人口增长而没有扩张的余地,从而开始争夺稀少的资源。这样就导致在内部出现了阶级,其中由统治者控制稀少的资源。对于外部就有了扩张的需要,这些都需要有一个中央集权的政府来严密组织。

历史上许多哲人对文明都有很精辟的论述,如:

文明时代是学会对天然产物进一步加工的年代,是真正的工业和艺术产生的时期。(恩格斯)

道德是为人类社会升到更高的水平,为人类社会摆脱劳动剥削制度服务的。(列宁)

爱护公有财产,就是共产主义的特征。(加里宁)

真正的文明是所有人培育幸福的结果。(幸田露伴)

文明的历史是人类得到缓慢而痛苦的解放的历史。(英格索尔)

万物之中,文明是最脆弱的,任何高度的文明都经不起它所面临的多重危险的威胁。(亨·哈·埃利斯)

良好的礼貌是由微小的牺牲组成。(爱默生)

不学礼,无以立。(孔子)

凡人之所以贵于禽兽者,以有礼也。(《晏子春秋》)

真、善、美是文明社会的三大特点。(周海中)

总而言之,唐小姐是摩登文明社会里那桩罕物,一个真正的女孩子。(钱钟书)

在宴席上最让人开胃的就是主人的礼节。(莎士比亚)

无礼是无知的私生子。(巴特勒)

人不能像走兽那样活着,应该追求知识和美德。(但丁)

勿以恶小而为之,勿以善小而不为。惟贤惟德,能服于人。(刘备)

不患位之不尊,而患德之不崇;不耻禄之不伙,而耻智之不博。(张衡)

土扶可城墙,积德为厚地。(李白)

行一件好事,心中泰然;行一件歹事,衾影抱愧。(申涵光)

入于污泥而不染、不受资产阶级糖衣炮弹的侵蚀,是最难能可贵的革命品质。(周恩来)

一个人最伤心的事情无过于良心的死灭。(郭沫若)

应该热心地致力于照道德行事,而不要空谈道德。(德谟克利特)

理智要比心灵为高,思想要比感情可靠。(高尔基)

人在智慧上应当是明豁的,道德上应该是清白的,身体上应该是清洁的。(契诃夫)

良心是由人的知识和全部生活方式来决定的。(马克思)

我深信只有有道德的公民才能向自己的祖国致以可

被接受的敬礼。(卢梭)

自觉心是进步之母,自贱心是堕落之源,故自觉心不可无,自贱心不可有。(邹韬奋)

知耻近乎勇。(孔子)

不是不能见义,怕的是见义而不勇为。(谢觉哉)

要留心,即使当你独自一人时,也不要说坏话或做坏事,而要学得在你自己面前比在别人面前更知耻。(德谟克利特)

君子忧道不忧贫。(孔子)

贫而无谄,富而无骄。(子贡)

强本而节用,则天不能贫。(荀况)

侈而惰者贫,而力而俭者富。(韩非)

夫君子之行,静以修身,俭以养德,非淡泊无以明志,非宁静无以致远。(诸葛亮)

不念居安思危,戒奢以俭;斯亦伐根以求木茂,塞源而欲流长也。(魏徵)

历览前贤国与家,成由勤俭破由奢。(李商隐)

霸祖孤身取二江,子孙多以百城降。豪华尽出成功后,逸乐安知与祸双?(王安石)

文明就是要造就有修养的人。(罗斯金)

万物之中,文明是最脆弱的,任何高度文明都经不起它所面临的多重危险的威胁。(埃利斯)

地外文明的探索不仅是宇宙探索的一部分,同时对人

类的进化和科技的发展将产生深远的影响。(周海中)

侈则多欲。君子多欲则贪慕富贵，枉道速祸。(司马光)

谁在平日节衣缩食，在穷困时就容易渡过难关；谁在富足时豪华奢侈，在穷困时就会死于饥寒。(萨迪)

善气迎人，亲如弟兄；恶气迎人，害于戈兵。(管仲)

天下有大勇者，卒然临之而不惊，不故加之而不怒。(苏轼)

(三)环境的内涵

1.环境的概念

环境既包括以大气、水、土壤、植物、动物、微生物等为内容的物质因素，也包括以观念、制度、行为准则等为内容的非物质因素；既包括自然因素，也包括社会因素；既包括非生命体形式，也包括生命体形式。环境是相对于某个主体而言的，主体不同，指向不同，环境的内涵也就不同。而常说的“环境”指向的是相对于人类这个主体而言的一切自然环境、人文环境等要素的总和。

相对于某一事物来说，环境是指围绕着某一事物(通常称其为主体)并对该事物会产生某些影响的所有外界事物(通常称其为客体)，即环境是指相对并相关于某项中心事物的周围事物。如环境的好坏也常用来形容我们生活的品质，环境也是影响人类健康的主要因素。

2.我国古代对环境的认识

(1)周围的地方。《新唐书·王凝传》:“时江南环境为盗区,凝以彊弩据采石,张疑帜,遣别将马颖,解和州之围。”宋洪迈《夷坚甲志·宗本遇异人》:“二月,环境盗起,邑落焚刘无馀。”清方苞《兵部尚书范公墓表》:“鲁魁山贼二百年为环境害,至是就抚。”

(2)环绕所管辖的地区。《元史·余阙传》:“抵官十日而寇至,拒却之,乃集有司与诸将议屯田战守计,环境筑堡寨,选精甲外扞,而耕稼其中。”清刘大櫆《偃师知县卢君传》:“君之未治偃师,初出为陕之陇西县,寇贼环境。”

(3)周围的自然条件和社会条件。蔡元培《〈鲁迅先生全集〉序》:“‘行山阴道上,千岩竞秀,万壑争流,令人应接不暇’;有这种环境,所以历代有著名的文学家、美术家,其中如王逸少的书,陆放翁的诗,尤为永久流行的作品。”茅盾《青年苦闷的分析》:“只有不断地和环境奋斗,然后才可以使你长成。”《睢县志·新城》(1989年):“1982年睢县人民政府拨出专款对袁家山(袁可立别业)进行了修葺,辟设了图书馆,植树栽花,美化周围环境,风景宜人。”

3.随着认识的深入,环境所指对象更加广泛和普及

对于不同的对象和科学学科来说,根据主观客体所在场所周围的条件,环境所指的内容或涵盖范围、领域也有所不同。

(1)对于生物学来说,环境是指生物生活周围的气候、

生态系统、周围群体和其他种群。

(2)对于文学、历史和社会科学来说,环境是指具体的人生活周围的情况和条件。

(3)对于建筑学来说,环境是指室内条件和建筑物周围的景观条件。

(4)对于企业和管理学来说,环境是指社会和心理的条件,如工作环境等。

(5)对于热力学来说,环境是指向所研究的系统提供热或吸收热的周围所有物体。

(6)对于化学或生物化学来说,环境是指发生化学反应的溶液。

(7)对于计算机科学来说,环境是指操作环境,例如编辑环境,即编辑程序、代码时由任务窗口(界面、工具栏、标题栏)、文档等构成的系统。例如:Access 中 Visual Basic 编辑环境是由 Visual Basic 编辑器、工程窗口、标准工具栏、属性窗口、代码窗口和一些程序文档构成的。

(8)从环境保护的宏观角度来说,环境是指人类的家园地球。人类生活的自然环境,主要包括岩石圈、土壤圈、水圈、大气圈、生物圈。①人类生活关系最密切的是生物圈,从有人类以来,原始人类依靠生物圈获取食物来源,在狩猎和采集食物阶段,人类和其他动物基本一样,在整个生态系统中占有重要的位置。但人类会使用工具,因此人类占有优越的地位,会用有限的食物维持日益壮大的种群。在人类发展到畜牧业和农业阶段,人类已经改造了生物圈,创造围绕人类自己的人工生态系统,从而破坏了自然生态系统,随着人类不断发展,数量增加,不断地扩大人工生态系统的范围,地球的范围是固定的,因此自然生态系统不断地缩小,许多野生生物不断地灭绝。②从人类开始开采矿石,使用化石燃料以来,人类的活动范围开始侵入岩石圈。人类开垦荒地,平整梯田,尤其是自工业革命以来,大规模地开采矿石,破坏了自然界的元素平衡。③自20世纪后半叶,由于人类工农业蓬勃发展,大量开采水资源,过量使用化石燃料,向水体和大气中排放大量的废水废气,造成大气圈和水圈的环境恶化,从而引起全世界的关注,使得环境保护事业开始出现。④随着人类科技的发展,人类活动已经延伸到地球之外的外层空间,甚至私人都有能力发射火箭。造成许多垃圾在外层空间围绕地球的轨道上运转,大至火箭残骸,小至空间站宇航员的排泄物,影响卫星的发射和空间站的安全。

由此可见,环境(environment)总是相对于某一中心事物而言的。环境因中心事物的不同而不同,随中心事物的变化而变化。它围绕中心事物的外部空间、条件和状况,构成中心事物的环境。按目前人类的认知,我们通常所称的环境就是指人类的环境。

4.人类生存的环境与生态环境保护

随着对环境认知水平的提高,环境各要素与人类生存已经紧密融合,生态环境的保护措施将约束、控制和阻止影响、破坏环境的行为。

1)人类生存的环境

人类活动对整个环境的影响是综合性的,而环境系统也是从各个方面反作用于人类,其效应也是综合性的。人类与其他的生物不同,不仅以自己的生存为目的来影响环境、使自己的身体适应环境,而且为了提高生存质量,通过自己的劳动来改造环境,把自然环境转变为新的生存环境。这种新的生存环境有可能更适合人类生存,但也有可能恶化了人类的生存环境。在这一反复曲折的过程中,人类的生存环境已形成一个庞大的、结构复杂的、多层次的、多元相互交融的动态环境体系。

环境分类一般按照空间范围的大小、环境要素的差异、环境的性质等为依据,习惯上将人类环境分为自然环境和社会环境。

自然环境亦称地理环境,是指环绕人类周围的自然界。它包括大气、水、土壤、生物和各种矿物资源等。自然环境是人类赖以生存和发展的物质基础。在自然地理学上,通常把这些构成自然环境总体的因素,分别划分为大气圈、水圈、生物圈、土壤圈和岩石圈五个自然圈。社会环境是指人类在自然环境的基础上,为不断提高物质和精神生活水平,通过长期有计划、有目的的发展,逐步创造和建立起来的人工环境,如城市、农村、工矿区等。社会环境的发展和演替，受自然规律、经济规律以及社会规律的支配和制约，其质量是人类物质文明建设和精神文明建设的标志之一。

按照性质来分类，环境可分为物理环境、化学环境和生物环境等。

按照环境要素来分类，环境可以分为大气环境、水环境、地质环境、土壤环境及生物环境。

按照人类生存环境的空间范围来分类，可由近及远，由小到大地分为聚落环境、地理环境、地质环境和星际环境等层次结构，而每一层次均包含各种不同的环境性质和要素，并由自然环境和社会环境共同组成。

（1）聚落环境。聚落特指人类聚集居住的中心，是人们活动的场所。聚落环境是人类有目的、有计划地利用和改造自然环境而创造出来的生存环境，是与人类的生产和生活关系最密切、最直接的工作和生活环境。聚落环境中的人工环境因素占主导地位，也是社会环境的一种类型。人类的聚落环境，从自然界中的穴居和散居，直到形成密集栖息地乡村和城市。显然，随着聚居环境的变迁和发展，为人类提供了安全清洁和舒适方便的生存环境。但是，聚落环境乃至周围的生态环境由于人口的过度集中、人类缺乏节制的频繁活动以及对自然界的资源和能源超负荷的索取，因而受到巨大的压力，造成局部、区域，以致全球性的环境污染。因此，聚落环境历来都引起人们的重视和关注,也是环境科学的重要和优先研究领域。

我们常说的城市环境就是聚落环境之一,它指影响城市人类活动的各种外部条件,包括自然环境、人工环境、社会环境和经济环境等,是人类创造的高度人工化的生存环境。为居民的物质和文化生活创造了优越的条件,但往往遭到严重的污染和破坏,故须采取有效措施,防止不良影响。

而常说的区域环境也属于聚落环境之一,它指一定地域范围内的自然和社会因素的总和,是一种结构复杂、功能多样的环境。分自然区域环境(如森林、草原、冰川、海洋)、社会区域环境(如各级行政区、城市、工业区)、农业区域环境(如作物区、牧区、农牧交错区)、旅游区域环境(如西湖、桂林、庐山、黄山)等。

(2)地理环境。地理学上所指的地理环境位于地球表层,处于岩石圈、水圈、大气圈、土壤圈和生物圈相互制约、相互渗透、相互转化的交融带上。地球岩石圈表层与大气圈对流层顶部之间的地表环境,是岩石、土壤、水、大气、生物等自然因素和人类活动形成的社会因素的总体。它包括自然环境、经济环境和社会文化环境。同人类的生活和生产活动密切相关。

它下起岩石圈的表层,上至大气圈下部的对流层顶部,厚10~20千米,包括了全部的土壤圈,其范围大致与水圈和生物圈相当。概括地说,地理环境是与人类生存和发展密切相关的，直接影响人类衣、食、住、行的非生物和生物因素构成的复杂的对立统一体，是具有一定结构的多级自然系统，水圈、土壤圈、大气圈、生物圈都是它的子系统。每个子系统在整个系统中有着各自特定的地位和作用，非生物环境都是生物（植物、动物和微生物）赖以生存的主要环境要素，它们与生物种群共同组成生物的生存环境。这里是来自地球内部的内能和来自太阳辐射的外能的交融地带，有着适合人类生存的物理条件、化学条件和生物条件，因而构成了人类活动的基础。

（3）地质环境。地质环境主要指地表以下的坚硬地壳层，也就是岩石圈部分。它是由岩石、岩石风化产物的浮土两个部分组成。岩石是地球表面的固体部分，平均厚度30千米；浮土是包括土壤和岩石碎屑组成的松散覆盖层，厚度范围一般为几十米至几千米。实质上，地理环境是在地质环境的基础上，在星际环境的影响下发生和发展起来的，在地理环境、地质环境和星际环境之间，经常不断地进行着物质和能量的交换和循环。例如，岩石在太阳辐射的作用下，在风化过程中使固结在岩石中的物质释放出来，参加到地理环境中去，再经过复杂的转化过程又回到地质环境或星际环境中。如果说地理环境为人类提供了大量的生活资料，即可再生的资源，那么地质环境则为人类提供了大量的生产资料，特别是丰富的矿产资源，即难以再生的资源，它对人类社会发展的影响将与日俱增。

(4)星际环境。星际环境又称宇宙环境,是指地球大气圈以外的宇宙空间环境,由广漠的空间、各种天体、弥漫物质,以及各类飞行器组成。它是人类活动进入地球邻近的天体和大气层以外的空间的过程中提出的概念,是人类生存环境的最外层部分。太阳辐射能为地球的人类生存提供主要的能量。太阳辐射能量变化和对地球的引力作用会影响地球的地理环境,与地球的降水量、潮汐现象、风暴和海啸等自然灾害有明显的相关性。随着科学技术的发展,人类活动越来越多地延伸到大气层以外的空间,人造卫星、运载火箭、空间探测工具等飞行器本身失效和遗弃的废物,将给宇宙环境以及相邻的地球环境带来新的环境问题。

2)生态环境保护概念下的环境范畴

目前,生态环境保护所针对的环境主要偏向于自然环境范畴,涉及许多环境概念,如聚落环境、地理环境、地质环境、生态环境、海洋环境、特殊环境、原生环境、次生环境等,因为上文已经讲述聚落环境、地理环境、地质环境,以下主要讲述生态环境、海洋环境、特殊环境、原生环境、次生环境。

(1)生态环境。生态环境是指影响人类生存和发展的一切外界条件的综合。生态环境由许多生态因子综合而成。生态因子包括生物性因子(如植物、动物、微生物等)和非生物性因子(如水、大气、土壤等),在综合条件下表现出各自的作用。生态环境的破坏往往与环境污染密切相关。

(2)海洋环境。海洋环境是指地球上广大连续的海和洋的总水域,包括海水、溶解和悬浮于海水中的物质、海底沉积物和海洋生物,是生命的摇篮和人类的资源宝库。随着人类开发海洋资源的规模日益扩大,海洋环境已受到人类活动的影响和污染。

(3)特殊环境。特殊环境是指人们极少遇到的环境,如南北极超低温、高山缺氧、沙漠干旱、风沙、赤道丛林、高温高湿、地方病高发区、水下环境、外层空间环境,以及冲击、爆炸、辐射、强磁场、高频噪声等环境。

(4)原生环境。原生是指自然环境中未受人类活动干扰的地域,如人迹罕到的高山荒漠、原始森林、冻原地区及大洋中心区等。在原生环境中按自然界原有的过程进行物质转化、物种演化、能量和信息的传递。随着人类活动范围的不断扩大,原生环境日趋缩小。

(5)次生环境。次生环境是指自然环境中受人类活动影响较多的地域,如耕地、种植园、鱼场、人工湖、牧场、工业区、城市、集镇等,是原生环境演变成的一种人工生态环境。其发展和演变仍受自然规律的制约。

(四)我国现行的环境保护法律法规

1.环境保护法律

《中华人民共和国环境保护法》从法学的角度对环境

概念进行阐述:“本法所称环境是指影响人类生存和发展的各种天然的和经过人工改造的自然因素的总体,包括大气、水、海洋、土地、矿藏、森林、草原、野生生物、自然遗迹、人文遗迹、风景名胜区、自然保护区、城市和乡村等。”这就是把人类以外的生物要素和非生物要素都看作人类的环境。其他环境保护法律法规都以此为依据制定,涉及大气环境、水环境、海洋环境、固体废物的相关法律,如《中华人民共和国环境保护标准管理办法》等法规对环境法规、标准制定了规范程序和基本要求,见以下几点。

(1)规范环境保护法律、行政法规和部门规章的解释工作(以下简称“法规解释”),根据《全国人民代表大会常务委员会关于加强法律解释工作的决议》和《国务院办公厅关于行政法规解释权限和程序问题的通知》有关规定。

(2)环境保护法律的条文本身需要进一步明确界限或者做出补充规定的问题,按照《全国人民代表大会常务委员会关于加强法律解释工作的决议》办理。

(3)生态环境保护行政法规的条文本身需要进一步明确界限或者做出补充规定的问题,按照《国务院办公厅关于行政法规解释权限和程序问题的通知》办理。

(4)生态环境保护法律、行政法规具体适用问题,部门规章理解和执行中的问题,以及环境保护法律、行政法规授权国务院环境保护行政主管部门解释的问题,由国家生态环境部解释。

国家生态环境部公布的法规解释，具有普遍执行的效力，可作为各级环境保护行政主管部门和其他依照法律规定行使环境保护监督管理权的部门的执法依据，可以在有关环境法律文书中直接引用。

国家生态环境部对地方各级生态环境保护行政主管部门执行国家生态环境法规解释的情况进行监督，发现执行国家生态环境法规解释的具体行政行为与解释相违背的，责成其改正或者依法予以撤销。

2.法规解释

1)提出解释申请

(1)地方生态环境保护行政主管部门向国家生态环境部提出法规解释请示的。

(2)其他国家机关建议或者商请国家生态环境部做出法规解释的。

(3)国家生态环境部根据环境行政执法工作的实际情况，认为需要做出法规解释的。

(4)需要做出法规解释的其他情形。

省、自治区、直辖市生态环境保护行政主管部门(以下简称省级生态环境保护行政主管部门)在报请国家生态环境部做出法规解释时，除提出请示解释的问题外，应当同时提出本部门的意见，并附送有关本案的主要背景材料。报请国家生态环境部做出法规解释的请示，应当一事一请示。

省级生态环境保护行政主管部门报请国家生态环境部做出法规解释,应当以正式文件提出请示,以其他形式提出的请示,不作为办理法规解释的依据。

省级以下的地方生态环境保护行政主管部门认为需要报请国家生态环境部做出法规解释的,应当按程序报省级生态环境保护行政主管部门审核决定,并由省级生态环境保护行政主管部门向国家生态环境部提出请示;因特殊情况必须越级请示的,应当抄送被越过的上级生态环境保护行政主管部门。

2)法规解释程序

国家生态环境部法规部门管理和组织办理法规解释。国家生态环境部有关司(办)配合法规部门办理涉及其职责范围的法规解释。法规解释按照以下程序进行。

(1)国家生态环境部法规部门确定法规解释项目。

(2)国家生态环境部法规部门组织研究提出法规解释草案,涉及核安全法规解释的问题,由国家核安全部门提出解释草案。

(3)国家生态环境保护部法规部门组织论证,必要时可征求国家有关机关的意见,提出法规解释送审稿。

(4)按照程序将解释送审稿报总局局长签发。

对已经确定的法规解释项目,应当在两个月内完成。对于重大和复杂问题的解释,时限可以适当延长。

3)法规解释的形式

(1)对环境保护法律、行政法规的解释,以国家生态环境部文件的形式做出。

(2)对生态环境部门规章的解释,以国家生态环境部函件的形式做出。

国家生态环境部做出的法规解释,除发送提出请示的部门外,可视情况在全国公开发行的主要环境报刊上公布,必要时抄送国家有关机关。做出的法规解释,如与新颁布的环境保护法律、行政法规或者部门规章不一致的,原已做出的法规解释自动失效。并适时对法规解释文件进行清理。对需要修改、补充或者废止的法规解释,按照已经制定的解释程序办理。

地方生态环境保护行政主管部门请示或者其他国家机关建议国家生态环境部解释的问题,如不属于生态环境保护法规解释的范围,由国家生态环境部有关司(办)按职责分工办理。

生态环境保护地方性法规、地方政府规章和地方标准的解释,由地方生态环境保护行政主管部门按规定的权限办理。

3.环境保护标准管理办法

《中华人民共和国环境保护标准管理办法》对环境标准制定了规范程序和基本要求。环境保护国家标准、行业标准由国家生态环境部负责解释,并由国家生态环境部标准部门参照本办法规定的程序组织办理。

4.环境认证

ISO 14000 系列标准是国际标准化组织 ISO/TC 207 负责起草的一份国际标准。ISO 14000 是一个系列的环境管理标准,它包括了环境管理体系、环境审核、环境标志、生命周期分析等国际环境管理领域内的许多焦点问题,旨在指导各类组织(企业、公司)正确处理与环境管理相关的行为。ISO 给 14000 系列标准共预留 100 个标准号,分七个系列,其编号为 ISO 14001~14100,可对现行环境标准的时效性进行复核。

ISO 14000 系列的环境管理标准的七个系列名称与标准号以及备用标准号分别如下:①SC1 环境管理体系(EMC),14004~14009。②SC2 环境审核(EA),14010~14019。③SC3 环境标志(EL),14020~14029。④SC4 环境行为评价(EPE),14030~14039。⑤SC5 生命周期评估(LCA),14040~14049。⑥SC6 术语和定义(T&D),14050~14059。⑦WG1 产品标准中的环境指标,14060。⑧备用,14061~14100。

5.环境投诉

当今自然环境所面临的各种污染种类越来越多,随着科学技术进步和对环境认识的深入,应对自然环境长远危害的紧迫性也不断提到议事日程。仅仅以自然环境为对象的环境保护显然已经不能满足生态文明时代的环境保护需要,全面加强和提高人们的环保意识越来越紧迫,旨在希望在以后的生活中人们能自觉做到保护环境。这些已经涉及人文环境,突破了生态环境的局限。环境反馈就是其中一个方面。反馈环境问题最方便、最快捷的方式就是拨打举报电话,调查中发现,知道“12369”这个热线举报电话的公众不足两成,而其中打过这个电话的仅有9.2%。

第三章　生态文明时代的环境保护

一、建设生态文明是环境保护的进步和机遇

党的十八大报告对推进中国特色社会主义事业做出了经济建设、政治建设、文化建设、社会建设、生态文明建设"五位一体"总体布局。其中生态文明建设不仅要发挥重要作用,还要与其他"四大建设"融为一体,共同发展,着眼于全面建成小康社会,齐力推进中国特色社会主义现代化建设和中华民族伟大复兴,实现社会主义现代化和中华民族伟大复兴。因而,其地位更突出,功能也更特殊。把生态文明建设提高到"五位一体"整体推进中国特色社会主义建设的高度来认识,深刻把握生态文明建设对"五位一体"总体布局的特殊意义和作用机制,对大力推进生态文明建设,努力建设美丽中国,具有十分重要的理论意义和现实意义。

"十三五"以来形成的新发展格局,将在"四个全面"战略布局下,坚持"五位一体"的发展思路。全面推进和落实

创新、协调、绿色、开放和共享五大发展理念，这是当代中国共产党人的大思维、大战略、大格局、大智慧，从而为我国经济社会的平衡、包容和可持续发展提供坚实的支撑。是管全局、管根本、管长远的导向，具有战略性、纲领性、引领性。

（一）生态文明的净化功能

生态文明建设的净化功能，不仅包括对自然生态的净化，还包括对人类文明系统和人类自身的净化。生态文明倡导“尊重自然、顺应自然、爱护自然”的价值理念，承认并遵循自然应有的主体性和文明性，因此，生态文明理念下的生态环境建设，既要加强生态环境的治理，又要加强生态保护，实施生态修复，让自然生态休养生息和按规律发展进化，给自然留下更多修复空间，还自然应有的“天蓝、地绿、水净”的美丽景观，实现对自然生态的净化。作为对工业文明的反思和超越，生态文明要求摒弃“人类中心主义”的工业文明价值观以及“大量生产、大量消耗、大量排放”的工业化模式，运用生态文明的理念和技术等，对工业文明社会下人类生产生活方式及其组织运行系统进行生态化改造，使经济增长与生态环境恶化脱钩，社会制度和文化意识符合生态文明理念，实现对人类文明系统的净化。与此同时，人的价值观、人性以及人格也在生态文明建设中得到净化。工业文明的理论和实践将人性的多面性、复杂性单纯地抽象为“理性经济人”，对人与自然、人与社会融洽关系的追求却被忽视和弱化。建设生态文明，就是要除去人性中过度自私和最大化追求物质利益的“杂质”，唤醒人性中的生态良知和生态意识，不仅遵从“经济理性”，也要遵从“生态理性”，回归多面人性，推动人从“经济人”到“生态理性文明人”的转变，实现人格的净化，促进人的自由全面发展。

(二)生态文明的提升功能

生态文明建设融入经济、政治、文化与社会等建设的过程，既是一个生态化的过程，也是一个绿色转型和质量提升的过程。我国在工业化尚不发达、工业文明程度还不高的情况下建设生态文明，不是全盘否定工业文明，而是对被工业文明固化和锁定的价值理念、行为模式和制度安排等进行生态化改造和绿色提升。通过实施空间管制，控制开发强度，调整空间结构，优化国土空间开发格局，建立可持续的产业结构、生产方式和消费模式，加快转变经济发展方式，使空间开发更加有序、资源环境利用更加集约节约、产业结构更加生态化高级化、生态制度更加法制化，从而提高经济社会发展的质量和效益，促使我国经济发展活力和竞争力、文化软实力以及可持续发展能力都提升到新的水平。

(三)生态文明的协调功能

生态文明建设通过净化人与自然的关系，重塑人与人、人与社会的关系，协调“五位一体”内部各组成部分之间的关系,最终协调生产关系与生产力、经济基础与上层建筑的关系。经济建设、政治建设、文化建设和社会建设是一个有机整体,生态文明建设这一新成员的加入,通过融入“四大建设”的各方面和全过程,打通各建设系统之间的有机联系,有利于各建设系统之间形成相互支持、彼此推动的良性机制。工业文明具有强大的惯性,生态文明不可能像从原始文明到农业文明再到工业文明一样,自发、自动地形成,而必须对现行体制机制进行生态化改造,对生产关系不适应生产力发展水平、上层建筑不适应经济基础的弊端进行绿色变革和创新,从而为经济、文化、社会建设的生态化提供强制力量。在这个过程中,不仅促进了生产力的发展和解放,也促进了生产力与生产关系、经济基础与上层建筑的相互协调。

(四)生态文明的融合功能

生态文明建设融入经济、政治、文化和社会现实运行系统之中,不是简单叠加,也不是以一个独立的外在因素“输入”或“植入”,而是在基本不改变现实系统结构和功能的前提下,将生态文明建设的要求、目标和内容等要素,体现和融合在现实系统的目标、任务与部署之中,使之成为现实经济社会运行系统的有机组成部分,从而实现生态文明建设与现有经济社会发展紧密结合、“合二为一”,而不是“两张皮”“两条线”。

(五)生态文明的滋养功能

根据马克思社会有机体理论,人类社会是一个不断运动和发展着的活的有机体,只有在与自然界进行物质变换中才能存在和发展,人类所创造的各种积极成果以及所积累的各种文明都无法离开生态环境这一自然基础。生态文明建设为“四大建设”奠定坚实的自然基础,提供丰富的养分,起到“滋养”作用。生态环境建设为经济建设奠定坚实的自然基础和源头活力,增强经济发展的可持续能力;发达的生态经济是“五位一体”总体布局的物质基础;推进生态文明建设,保障生态安全,有利于政治稳定和政治发展,加快社会主义民主和法治进程;生态文化建设为社会主义核心价值体系的建设增添新的内容,促进社会主义文化大发展大繁荣;着力解决损害群众健康的突出环境问题,保障群众的环境权益、提高人民健康水平,是促进民生改善和社会和谐的重要条件。

二、建设生态环境保护的主要路径

建设生态环境保护体系任重道远,从我国目前的发展阶段与国际环境合作的状态看,实现碳减排的工作正在受到广泛的关注。未来10年是实现碳中和的关键10年,其原因是实现碳达峰之后,才能转为碳中和。碳达峰的峰值越早,峰值越低,实现碳中和越有利。

我国目前处在城镇化、工业化中后期,还有许多基建等需要建设发展，二氧化碳的排放仍处于上升期，比处于后工业阶段，早就实现碳达峰的发达国家更具挑战性。必须改变目前的发展方式，利用绿色技术、低碳技术、产业转型等，降低碳排放，为碳中和提供便利条件。

实现碳达峰、碳中和是一场广泛而深刻的经济社会系统性变革，要把碳达峰、碳中和纳入生态文明建设整体布局，拿出抓铁有痕的劲头，如期实现2030年前碳达峰、2060年前碳中和的目标。

在“碳达峰、碳中和”日益成为全球新的政治认同和国际政治经济利益博弈手段的情况下，中国提出的碳达峰、碳中和目标将对全球政治经济格局带来深刻的变化。根据有关研判，在深化碳减排后未来40年我国的能源生产、工业产业、消费领域和区域结构等将发生重大的调整。主要表现在以下几点。

(1)电力行业脱碳将是碳达峰、碳中和的关键，其中零碳电力生产成套技术亟待突破。如核电将发挥出新的活力。

(2)推动交通运输领域的碳减排，促进产业链深度变革。如推广新能源乘用车、海运推广清洁燃料等。

(3)煤化工企业开启高效化、低碳化进程。

(4)减少建筑物碳排放，打造绿色建筑。

(5)高能耗行业新一轮高质量供给侧改革，如钢铁和有色金属冶炼方面，一是控制产能规模，二是采用新技术、利用再生原料等实现碳减排。并加速各产业的节能减排进程,促进低排放的工程机械制造与使用。

(6)完善碳交易和碳市场的建设与发展,促进碳减排体系健全与完善。

(7)碳中和带来低碳新材料长期发展机遇,如硅铁、长期储能技术突破,可进一步促进可再生能源电力风电、光伏的应用,提升经济效益。

(8)CCS(碳捕集与封存,carbon capture and storage)+森林碳汇将最终实现碳中和。

由此可见,全球发展绿色、低碳技术上竞争激烈,其中绿色、低碳技术作为前沿技术和热点技术,我国与发达国家在主要领域基本处于同步,需要加强突破,是工业文明转向生态文明的主要途径,也是实现建设社会主义现代化强国的唯一途径。我国作为世界大国,要在碳减排领域争取制高点和先机,适应和引领建设生态文明潮流。

大力推广和发展新能源,如风电、光电(太阳能)配合完善储能、智能电网技术;炼钢中的焦炭用氢能替代,实现零碳炼钢技术;核能的安全利用和小型化、灵活性核电的安全利用等;化石能源发电的二氧化碳捕集包括捕集后贮存地下等方式。主要有工业和电力领域脱碳的政策、措施与技术,包括通过循环经济、储能和电网可靠性、碳捕集利用和封存、绿色氢能;增加部署可再生能源;发展绿色和气候韧性农业;发展节能建筑;发展绿色低碳交通;加强关于甲烷等非二氧化碳温室气体排放合作；加强关于国际航空和航海活动排放合作；其他近期政策和措施，包括减少煤、油、气排放等八大对策与措施。

（一）资源利用优化

我国自然生态环境先天不足，整体生态环境系统脆弱。同时，在长期的发展过程中，我们也积累了大量生态环境问题，各类环境污染呈高发态势，逐渐累积的生态风险不容忽视。一方面，资源短缺。水资源紧缺，人均水资源拥有量仅为世界平均水平的1/4，按国际标准属于重度缺水国家。全国的水资源供需矛盾不断凸显，中国部分地区已超过或接近水资源开发的极限。人均耕地少，不到世界人均水平的1/2。全国优质耕地比例不足3%，中、低等级的比例超过70%。能源和矿产资源短缺，能源安全存在风险。我国石油的对外依存度接近70%。另一方面，污染严重。我国水资源污染严重，全国江河水系、地下水污染和饮用水出现安全问题，这对原本紧缺的水资源问题无疑是雪上加霜。大气污染严重，雾霾成为环境问题的风向标。由国家生态环境部等13个部门共同编制的《2016年中国环境状况公报》显示，2016年，全国338个地级及以上城市中，只有84个城市环境空气质量达标，占全部城市总数的24.9%；254个城市环境空气质量超标，占全部城市总数的75.1%。土壤污染潜在风险不断累积。部分地区土壤污染较严重，耕地土壤环境质量堪忧，工矿业废弃地土壤环境问题突出。这些土壤中的污染物质通过食物链最终又进入人体内，对人体健康构成极大危害。国家相继出台了《水污染防治行动计划》《土壤污染防治行动计划》等，并制定了部分风险管控标准。

鉴于资源利用的困局，积极推进"资源节约型社会、环境友好型社会"两型社会建设；大力推行循环经济产业的发展；优先发展新能源、最大化利用清洁能源，推进其产业布局等。将环境保护工作进化为自然资源利用与环境污染要素管理与控制，满足生态文明时代需求。

《联合国气候变化框架公约》（UNFCCC）的《京都议定书》于1997年在日本京都召开的UNFCCC缔约方大会第三次会议上达成。它包含除了UNFCCC之外法律上所需承担的义务。议定书附件B中包括的各国（多数国家属于经济合作和发展组织及经济转轨国家）同意减少人为六种温室气体（二氧化碳、甲烷、氧化亚氮、氢氟碳化物、全氟化碳和六氟化硫）的排放量，在2008—2012年的第一承诺期内排放量至少比1990年水平低5%。

有关资料表明，森林面积虽然只占陆地总面积的1/3，但森林植被区的碳储量几乎占到了陆地碳总量的一半。树木通过光合作用吸收了大气中大量的二氧化碳，减缓了温室效应。这就是通常所说的森林的碳汇作用。二氧化碳是林木生长的重要物质。它把吸收的二氧化碳在光能作用下转变为糖、氧气和有机物，为生物界提供枝叶、茎根、果实、种子,提供最基本的物质和能量来源。这一转化过程,就形成了森林的固碳效果。森林是二氧化碳的吸收器、贮存库和缓冲器。反之,森林一旦遭到破坏,则变成了二氧化碳的排放源。

碳源(carbon source)是指产生二氧化碳之源。它既来自自然界,也来自人类生产和生活过程。碳源与碳汇是两个相对的概念,碳源是指自然界中向大气释放碳的母体,碳汇是指自然界中碳的寄存体。减少碳源一般通过二氧化碳减排来实现,增加碳汇则主要采用固碳技术。

森林碳汇是指森林植物吸收大气中的二氧化碳并将其固定在植被或土壤中,从而减少该气体在大气中的浓度。土壤是陆地生态系统中最大的碳库,在降低大气中温室气体浓度、减缓全球气候变暖中,具有十分重要的独特作用。

(二)绿色低碳循环经济

国务院 2021 年 2 月 2 日印发的《关于加快建立健全绿色低碳循环发展经济体系的指导意见》(国发〔2021〕4 号)提出要促进绿色产品消费,加大政府绿色采购力度,扩大绿色产品采购范围,并逐步将绿色采购制度扩展至国有企业。

根据我国批准的《联合国气候变化框架公约》(以下简称《公约》)和核准的《京都议定书》(以下简称《议定书》)的规定以及缔约方会议的有关决定,中国政府为促进清洁发展机制项目活动的有效开展,维护中国的权益,保证项目活动的有序进行,制定了《清洁发展机制项目运行管理办法》。

建立健全绿色低碳循环发展经济体系涉及经济社会方方面面,是一项全局性、系统性工程。从生产、流通、消费、基础设施、绿色技术、法律法规政策等六方面对绿色低碳循环发展做出了部署安排。一是健全绿色低碳循环发展的生产体系。二是健全绿色低碳循环发展的流通体系。三是健全绿色低碳循环发展的消费体系。四是加快基础设施绿色升级。五是构建市场导向的绿色技术创新体系。六是完善法律法规政策体系。

到 2025 年,产业结构、能源结构、运输结构明显优化,绿色产业比重显著提升,基础设施绿色化水平不断提高,清洁生产水平持续提高,生产生活方式绿色转型成效显著,能源资源配置更加合理、利用效率大幅提高,主要污染物排放总量持续减少,碳排放强度明显降低,生态环境持续改善,市场导向的绿色技术创新体系更加完善,法律法规政策体系更加有效,绿色低碳循环发展的生产体系、流通体系、消费体系初步形成。到 2035 年,绿色发展内生动力显著增强,绿色产业规模迈上新台阶,重点行业、重点产品能源资源利用效率达到国际先进水平,广泛形成绿色生产生活方式,碳排放达峰后稳中有降,生态环境根本好转,美丽中国建设目标基本实现。主要措施有以下几点。

1.健全绿色低碳循环发展的生产体系

（1）推进工业绿色升级。加快实施钢铁、石化、化工、有色金属、建材、纺织、造纸、皮革等行业绿色化改造。推行产品绿色设计，建设绿色制造体系。大力发展再制造产业，加强再制造产品认证与推广应用。建设资源综合利用基地，促进工业固体废物综合利用。全面推行清洁生产，依法在“双超双有高耗能”行业实施强制性清洁生产审核。完善“散乱污”企业认定办法，分类实施关停取缔、整合搬迁、整改提升等措施。加快实施排污许可制度。加强工业生产过程中危险废物管理。

（2）加快农业绿色发展。鼓励发展生态种植、生态养殖，加强绿色食品、有机农产品认证和管理。发展生态循环农业，提高畜禽粪污资源化利用水平，推进农作物秸秆综合利用，加强农膜污染治理。强化耕地质量保护与提升，推进退化耕地综合治理。发展林业循环经济，实施森林生态标志产品建设工程。大力推进农业节水，推广高效节水技术。推行水产健康养殖。实施农药、兽用抗菌药使用减量和产地环境净化行动。依法加强养殖水域滩涂统一规划。完善相关水域禁渔管理制度。推进农业与旅游、教育、文化、健康等产业深度融合，加快一、二、三产业融合发展。

（3）提高服务业绿色发展水平。促进商贸企业绿色升级，培育一批绿色流通主体。有序发展出行、住宿等领域共享经济,规范发展闲置资源交易。加快信息服务业绿色转型,做好大中型数据中心、网络机房绿色建设和改造,建立绿色运营维护体系。推进会展业绿色发展,指导制定行业相关绿色标准,推动办展设施循环使用。推动汽修、装修装饰等行业使用低挥发性有机物含量原辅材料。倡导酒店、餐饮等行业不主动提供一次性用品。

(4)壮大绿色环保产业。建设一批国家绿色产业示范基地,推动形成开放、协同、高效的创新生态系统。加快培育市场主体,鼓励设立混合所有制公司,打造一批大型绿色产业集团;引导中小企业聚焦主业增强核心竞争力,培育"专精特新"中小企业。推行合同能源管理、合同节水管理、环境污染第三方治理等模式和以环境治理效果为导向的环境托管服务。进一步放开石油、化工、电力、天然气等领域节能环保竞争性业务,鼓励公共机构推行能源托管服务。适时修订绿色产业指导目录,引导产业发展方向。

(5)提升产业园区和产业集群循环化水平。科学编制新建产业园区开发建设规划,依法依规开展规划环境影响评价,严格准入标准,完善循环产业链条,推动形成产业循环耦合。推进既有产业园区和产业集群循环化改造,推动公共设施共建共享、能源梯级利用、资源循环利用和污染物集中安全处置等。鼓励建设电、热、冷、气等多种能源协同互济的综合能源项目。鼓励化工等产业园区配套建设危险废物集中贮存、预处理和处置设施。

(6)构建绿色供应链。鼓励企业开展绿色设计、选择绿色材料、实施绿色采购、打造绿色制造工艺、推行绿色包装、开展绿色运输、做好废弃产品回收处理,实现产品全周期的绿色环保。选择100家左右积极性高、社会影响大、带动作用强的企业开展绿色供应链试点,探索建立绿色供应链制度体系。鼓励行业协会通过制定规范、咨询服务、行业自律等方式提高行业供应链绿色化水平。

2.健全绿色低碳循环发展的流通体系

(1)打造绿色物流。积极调整运输结构,推进铁水、公铁、公水等多式联运,加快铁路专用线建设。加强物流运输组织管理,加快相关公共信息平台建设和信息共享,发展甩挂运输、共同配送。推广绿色低碳运输工具,淘汰更新或改造老旧车船,港口和机场服务、城市物流配送、邮政快递等领域要优先使用新能源或清洁能源汽车;加大推广绿色船舶示范应用力度,推进内河船型标准化。加快港口岸电设施建设,支持机场开展飞机辅助动力装置替代设备建设和应用。支持物流企业构建数字化运营平台,鼓励发展智慧仓储、智慧运输,推动建立标准化托盘循环共用制度。

(2)加强再生资源回收利用。推进垃圾分类回收与再生资源回收“两网融合”,鼓励地方建立再生资源区域交易中心。加快落实生产者责任延伸制度,引导生产企业建立逆向物流回收体系。鼓励企业采用现代信息技术实现废物回收线上与线下有机结合,培育新型商业模式,打造龙头企业,提升行业整体竞争力。完善废旧家电回收处理体系,推广典型回收模式和经验做法。加快构建废旧物资循环利用体系,加强废纸、废塑料、废旧轮胎、废金属、废玻璃等再生资源回收利用,提升资源产出率和回收利用率。

(3)建立绿色贸易体系。积极优化贸易结构,大力发展高质量、高附加值的绿色产品贸易,从严控制高污染、高耗能产品出口。加强绿色标准国际合作,积极引领和参与相关国际标准制定,推动合格评定合作和互认机制,做好绿色贸易规则与进出口政策的衔接。深化绿色"一带一路"合作,拓宽节能环保、清洁能源等领域技术装备和服务合作。

3.健全绿色低碳循环发展的消费体系

(1)促进绿色产品消费。加大政府绿色采购力度,扩大绿色产品采购范围,逐步将绿色采购制度扩展至国有企业。加强对企业和居民采购绿色产品的引导,鼓励地方采取补贴、积分奖励等方式促进绿色消费。推动电商平台设立绿色产品销售专区。加强绿色产品和服务认证管理,完善认证机构信用监管机制。推广绿色电力证书交易,引领全社会提升绿色电力消费。严厉打击虚标绿色产品行为,有关行政处罚等信息纳入国家企业信用信息公示系统。

(2)倡导绿色低碳生活方式。厉行节约,坚决制止餐饮浪费行为。因地制宜推进生活垃圾分类和减量化、资源化，开展宣传、培训和成效评估。扎实推进塑料污染全链条治理。推进过度包装治理，推动生产经营者遵守限制商品过度包装的强制性标准。提升交通系统智能化水平，积极引导绿色出行。深入开展爱国卫生运动，整治环境脏乱差，打造宜居生活环境，开展绿色生活创建活动。

4.加快基础设施绿色升级

（1）推动能源体系绿色低碳转型。坚持节能优先，完善能源消费总量和强度双控制度。提升可再生能源利用比例，大力推动风电、光伏发电发展，因地制宜发展水能、地热能、海洋能、氢能、生物质能、光热发电。加快大容量储能技术研发推广，提升电网汇集和外送能力。增加农村清洁能源供应，推动农村发展生物质能。促进燃煤清洁高效开发转化利用，继续提升大容量、高参数、低污染煤电机组占煤电装机比例。在北方地区县城积极发展清洁热电联产集中供暖，稳步推进生物质耦合供热。严控新增煤电装机容量。提高能源输配效率。实施城乡配电网建设和智能升级计划，推进农村电网升级改造。加快天然气基础设施建设和互联互通。开展二氧化碳捕集、利用和封存试验示范。

（2）推进城镇环境基础设施建设升级。推进城镇污水管网全覆盖。推动城镇生活污水收集处理设施“厂网一体化”，加快建设污泥无害化资源化处置设施，因地制宜布局污水资源化利用设施,基本消除城市黑臭水体。加快城镇生活垃圾处理设施建设,推进生活垃圾焚烧发电,减少生活垃圾填埋处理。加强危险废物集中处置能力建设,提升信息化、智能化监管水平,严格执行经营许可管理制度。提升医疗废物应急处理能力。做好餐厨垃圾资源化利用和无害化处理。在沿海缺水城市推动大型海水淡化设施建设。

(3)提升交通基础设施绿色发展水平。将生态环保理念贯穿交通基础设施规划、建设、运营和维护全过程,集约利用土地等资源,合理避让具有重要生态功能的国土空间,积极打造绿色公路、绿色铁路、绿色航道、绿色港口、绿色空港。加强新能源车充换电、加氢等配套基础设施建设。积极推广应用温拌沥青、智能通风、辅助动力替代和节能灯具、隔声屏障等节能环保先进技术和产品。加大工程建设中废弃资源综合利用力度,推动废旧路面、沥青、疏浚土等材料以及建筑垃圾的资源化利用。

(4)改善城乡人居环境。相关空间性规划要贯彻绿色发展理念,统筹城市发展和安全,优化空间布局,合理确定开发强度,鼓励城市留白增绿。建立"美丽城市"评价体系,开展"美丽城市"建设试点。增强城市防洪排涝能力。开展绿色社区创建行动,大力发展绿色建筑,建立绿色建筑统一标志制度,结合城镇老旧小区改造推动社区基础设施绿色化和既有建筑节能改造。建立乡村建设评价体系,促进补齐乡村建设短板。加快推进农村人居环境整治，因地制宜推进农村改厕、生活垃圾处理和污水治理、村容村貌提升、乡村绿化美化等。继续做好农村清洁供暖改造、老旧危房改造，打造干净、整洁、有序、美丽的村庄环境。

5.构建市场导向的绿色技术创新体系

（1）鼓励绿色低碳技术研发。实施绿色技术创新攻关行动，围绕节能环保、清洁生产、清洁能源等领域布局一批前瞻性、战略性、颠覆性科技攻关项目。培育建设一批绿色技术国家技术创新中心、国家科技资源共享服务平台等创新基地平台。强化企业创新主体地位，支持企业整合高校、科研院所、产业园区等力量建立市场化运行的绿色技术创新联合体，鼓励企业牵头或参与财政资金支持的绿色技术研发项目、市场导向明确的绿色技术创新项目。

（2）加速科技成果转化。积极利用首台（套）重大技术装备政策支持绿色技术应用。充分发挥国家科技成果转化引导基金作用，强化创业投资等各类基金引导，支持绿色技术创新成果转化应用。支持企业、高校、科研机构等建立绿色技术创新项目孵化器、创新创业基地。及时发布绿色技术推广目录，加快先进成熟技术推广应用。深入推进绿色技术交易中心建设。

（三）碳排放交易和碳中和

1.碳排放交易

随着国际社会对“气候危机”的不断关注，二氧化碳排放权(简称碳排放权)成为继石油等大宗商品之后又一新的价值符号。目前,国际社会已经形成了碳交易货币和碳金融体系,碳排放技术及其产品将成为重要的国际战略资源和资产。碳交易的目标是减少二氧化碳排放,1997年签订的《京都议定书》把市场机制作为温室气体减排的新路径,即把二氧化碳排放权作为一种商品,形成排放权交易,买方将购得的减排额用于减缓温室效应从而实现其减排目标。

近年来各国纷纷以低碳经济作为经济的新增长点,未来国际政治、世界经济似乎都将围绕着“碳”展开。在这个寸土必争的“碳舞台”上,中国作为碳排放大国也在为自己的低碳目标和“碳权益”做着积极努力。碳排放交易是为适应绿色低碳循环经济产业需要和快速发展形势,结合国家支持和推行政策的落实而培育出的新型交易制度。该交易制度涉及碳足迹、碳规划、碳计量等。

为了达到在2020年前将每单位GDP排放的二氧化碳较2005年减少40%~45%的目标,中国在2011—2015年把单位GDP的能源强度减少16%,把碳强度(单位GDP二氧化碳排放量)减少17%。

2.碳中和时间表

以习近平新时代中国特色社会主义思想为指导,深入贯彻党的十九大和十九届二中、三中、四中、五中全会精神,全面贯彻习近平生态文明思想,认真落实党中央、国务院决策部署，坚定不移贯彻新发展理念，全方位全过程推行绿色规划、绿色设计、绿色投资、绿色建设、绿色生产、绿色流通、绿色生活、绿色消费，使发展建立在高效利用资源、严格保护生态环境、有效控制温室气体排放的基础上，统筹推进高质量发展和高水平保护，建立健全绿色低碳循环发展的经济体系，确保实现碳排放达峰、碳中和目标，推动我国绿色发展迈上新台阶。

碳中和即先计算二氧化碳的排放总量，然后通过植树等方式把这些排放量吸收掉，以达到环保的目的。

2012 年以来，中国单位国内生产总值(GDP)能耗累计降低 24.4%，相当于减少能源消费 12.7 亿吨标准煤。2012—2019 年，以能源消费年均 2.8%的增长支撑了国民经济年均 7%的增长。初步核算，2019 年煤炭消费占能源消费总量的比重为 57.7%，比 2012 年降低 10.8 个百分点；天然气、水电、核电、风电等清洁能源消费量占能源消费总量的比重为 23.4%，比 2012 年提高 8.9 个百分点；非化石能源占能源消费总量的比重为 15.3%，比 2012 年提高 5.6 个百分点，已提前完成到 2020 年非化石能源消费比重为 15%左右的目标。中国在保持经济中高速增长的同时，单位 GDP 能源消耗等指标下降幅度世界领先，成绩突出。中国是全球可再生能源领域的领导者，且在未来几年仍将遥遥领先。

3.碳汇计算

为量化核算碳减排，根据标煤产生的二氧化碳为基准,按国际公认的经验公式计算碳汇:1 吨标准煤燃烧后将排放 2.25 吨二氧化碳,1 亩(667 平方米)成年树林一年可吸收 24.445 吨二氧化碳,平均每亩种植数量 60~110 株,取中间值 90 株计算,平均每株每天可吸收 0.744 千克二氧化碳,一年可吸收 271.6 千克二氧化碳。

在中国的减排行动中,煤炭是至关重要的一环。每年全世界一半的煤炭消费发生在中国。中国境外的全球燃煤发电装机容量在 2018 年达到峰值。过去几年,中国政府一边在化解煤电潜在过剩风险,一边为打赢“蓝天保卫战”而对煤电建设有所控制。中国在“十四五”能源规划中制定淘汰现有燃煤电厂时间表,并停止建新项目,另外还明确规定了煤炭消耗和二氧化碳排放量上限。

中国加快构建一个清洁低碳、安全高效的能源体系,是中国力争 2060 年前实现碳中和的必然路径。“十四五”期间,中国将进一步创新发展方式,加快清洁能源开发利用,推动非化石能源和天然气成为能源消费增量的主体,更大幅度提高清洁能源消费比重,非化石能源消费比重 2030 年要达到 25%左右,意味着中国今后能源增量 70%以上以非化石能源为主;深度参与全球能源转型变革,研究推进与有关国家在核电、风电、光伏、智能电网、智慧能源、互联互通等方面的合作,研究绿色能源和绿色金融相结合的政策,推动双边和多边合作项目。种种举措,展现了中国促进经济社会发展全面绿色转型的决心。面向未来,中国将继续与各国一道，深化全球能源治理合作，推动全球能源可持续发展，维护全球能源安全，建设更加清洁、美丽、繁荣、宜居的世界。

发达国家的经历表明，温室气体排放随着工业化进程和经济社会发展而不断增加，至一定水平抵达峰值而后下降。《巴黎协定》所规定的目标，也是先达峰然后走向净零碳排放。之前我国向国际社会承诺的气候行动目标，是到2020年单位GDP二氧化碳排放比2005年下降40%~45%，2030年下降60%~65%。但只要GDP增速快、增量大，仍然会有绝对量的增加。2020年我国提出在2030年前达到峰值，2060年前实现碳中和，是绝对量的管控，不仅不因经济增长而增加排放，反而要求经济增长碳排放逐步归零。

习近平主席在第75届联合国大会上向全世界宣示了中国碳达峰和碳中和的目标，中共十九届五中全会通过的《中共中央关于制定国民经济和社会发展第十四个五年规划和2035年远景目标》指出，要提高国家自主贡献力度、采取更有力的政策和措施。我国碳中和时间表，得到国内相关政策支持，也在加速推动，碳中和也将成为“两会”重要议题之一。

4.碳中和路线图

因一、二、三产业的碳中和路径不同，且不同行业、城市亦有不同。以低碳城市建设为例，其碳中和路线图涉及城市建设、城市更新、城市改造等方面。

一是城市建设,在城市经济社会发展的"十四五"规划中,要明确实现碳排放达峰,这是城市走向碳中和的第一步和关键一步。社会上有一种错觉,就是碳排放峰值越高,城市发展的空间越大。殊不知碳中和刚性表明,峰值越高,碳排放清零越困难。这是因为,碳排放具有锁定效应,即高碳能源和基础设施投入,经济回收期多在30年甚至更长时间。例如燃油汽车生产线投入,资本密集度高,投资额巨大,而碳中和目标要求在2035年前后,燃油汽车就可能会被强制退出市场;投资燃煤电厂,即使是超临界,碳中和要求煤电在2050年基本退出。相反,零碳能源、零碳消费品,则是具有市场竞争力的产品。英国宣布,将在10年内禁售汽油车和柴油车,全球汽车巨头日产宣称计划在2025年后停售旗下燃油车型。从我国经济发展阶段看,高耗能的原材料产业和产品,例如钢铁、水泥、建材、化工,业已趋于饱和或过剩。城市大气污染防治攻坚战要求尽快弃煤减油,许多城市例如深圳,城市公共交通车辆已经全部纯电动化。

二是城市更新、老城区改造和新基建,需要纳入碳约束,严防碳锁定,从根本上消除碳需求。产业与城市融为一体、职业与居民住宅共聚,避免的不仅是交通拥堵,减少的不仅是污染物排放和碳排放。步行距离或自行车可达,不需要乘坐机动车辆,所实现的零碳,是发展模式的转型。

城市汽车更新，不仅要淘汰燃油汽车，甚至燃气汽车也要加以碳排放的核算。对于小区屋顶和可以安装太阳能光伏发电设备的，要鼓励并利用自然的各种解决方案，提供能源服务，减少化石能源的燃烧和排放需求。新材料提升建筑节能水平，互联网高效调控城市低碳运行，以及居家办公、视频会议等，都是减碳的有效途径。城市绿地、建筑立体绿化，不仅提升城市韧性，而且吸收大气中的二氧化碳形成碳汇或生物质能，是碳中和的必要手段。

三是城市的新建、扩建或改建，也要以碳中和为取向。我国城市化进程尚未完成，目前的户籍人口城市化率比常住人口城市化率约低 15 个百分点，到 2035 年城市化率还要新增 15 个百分点。也就是说 14 亿人中将有 30%转化为实实在在的城市居民，规模超过 4.2 亿人。广大农村具有就地使用光伏、风能和生物质能的便利，而城市由于人和经济活动密集，在城市空间范围内实现碳中和几乎不可能。但是，碳中和取向的美丽城市建设，要求一切新建、改建严格避免高碳锁定，例如，避免高耗能的超高层塔楼而规划建设楼层适度的小高层建筑，利用城市绿地、湿地、滞洪净化生活污水，减少污水处理能耗。合理控制大城市规模，不能盲目“摊大饼”，要提升城市内部碳中和的能力，减少对外部零碳能源和负碳技术的需求。以北京、上海、广州为例，其辖区内碳中和是完全不可能的，这就要求空间协同，利用西南地区的水能、西北地区的风能、光能和近陆海域的海上风电，为城市碳中和提供零碳能源保障。

在城市建设、城市更新、城市改造等方面首推节能改造，需要开发保温性能优良、稳定持久的新型建材，如目前常用的化石能源制造的保温材料与常规建材之间存在的使用寿命不一，耐候性、阻燃性不足和施工工序多、有安全隐患等问题。完善绿色建材相关政策扶持，应用绿色建材发展绿色节能建筑，不断提高新建筑中绿色建筑的比例。鼓励利用固废经发泡或拉丝等工艺加工成硬质保温材料，开发与常规建材同等寿命、耐候性稳定持久、不燃和可塑性良好、施工简便等优点的新型保温建材，推进老旧小区节能改造和功能提升，提升城市能源使用效率，也是建设无废城市的有效途径之一。

美丽中国作为美丽城市的聚合体，美丽城市建设的碳中和取向，需要制定明确的时间表、路线图。国民经济和社会发展"十四五"规划，需要碳达峰，而且宜早。城市要超越化石能源燃烧排放的污染控制，制定弃煤和减油规划，开启温室气体绝对量的减排进程。同时，借鉴发达国家2050年前碳中和的有效措施，制定2060年前城市碳中和的实施方案。

5.碳达峰与碳中和进程

2021年"两会"的政府工作报告提出，扎实做好碳达峰、碳中和的各项工作。制定2030年前碳排放达峰行动方案。目前从中央到地方都在加紧编制碳达峰行动方案，多行业多领域多企业也按下减碳“快进键”，谋划各自的碳中和路线图，可参考图3-1。

值得注意的是，今年政府工作报告对金融支持碳达峰着墨颇多，除了提及资金更多流向绿色发展外，还首次提出“实施金融支持绿色低碳发展专项政策，设立碳减排支持工具”。应对气候变化，要推动以二氧化碳为主的温室气体减排。我国提出，二氧化碳排放力争2030年前达到峰值，力争2060年前实现碳中和。今年将出台的行动方案正是指向实现2030年前碳排放达峰的目标。

我国碳达峰、碳中和工作任务十分艰巨，排放总量居高与目标时限紧迫并存、经济发展的能源增长需求与减排降碳压力并存。“十四五”期间是实现碳达峰关键期、推进碳中和起步期，应以高标准的刚性约束来起好步，要完成碳达峰任务的60%，争取在2028年实现碳达峰，为碳中和打好基础。

生态环境部正在抓紧编制2030年前碳排放达峰行动方案。而多地也在谋划各自的碳达峰路线图，部分省市更是明确力争在全国率先实现这一目标。例如，上海表示确保在2025年前实现碳排放达峰。四川则透露，攀枝花、眉山等具备条件的地区要加快达峰，省内多数城市应于2029年前达峰。能源、交通、钢铁等行业是需要重点突破的领域。尽快制订电力、钢铁、水泥、有色、石化、煤化工等重点行业碳达峰行动方案和路线图，明确行业达峰时间和达峰

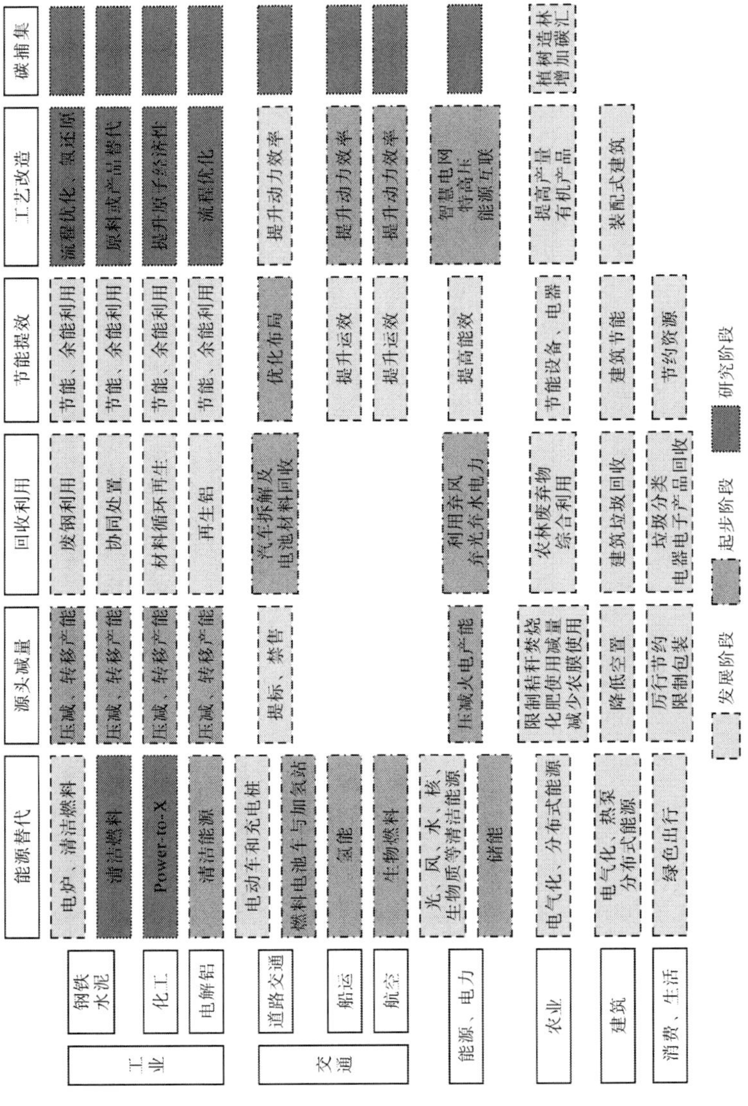
能源替代
源头减量
回收利用
节能提效
工艺改造
碳捕集
工业
钢铁 水泥
化工
电解铝
电炉、清洁燃料
清洁燃料
Power-to-X
清洁能源
压减、转移产能
废钢利用
协同处置
材料循环再生
再生铝
节能、余能利用
流程优化、氢还原
原料或产品替代
提升原子经济性
流程优化
交通
道路交通
电动车和充电桩
燃料电池车与加氢站
提标、禁售
汽车拆解及电池材料回收
优化布局
提升动力效率
船运
氢能
提升运效
提升动力效率
航空
生物燃料
提升运效
提升动力效率
能源、电力
光、风、水、核、生物质等清洁能源
储能
压减火电产能
利用弃风弃光弃水电力
提高能效
智慧电网 特高压 能源互联
农业
电气化、分布式能源
限制秸秆焚烧 化肥使用减量 减少农膜使用
农林废弃物综合利用
节能设备、电器
提高产量 有机产品
植树造林 增加碳汇
建筑
电气化、热泵 分布式能源
降低空置
建筑垃圾回收
建筑节能
装配式建筑
消费、生活
绿色出行
厉行节约 限制包装
垃圾分类 电器电子产品回收
节约资源
发展阶段
起步阶段
研究阶段

图 3-1 碳中和路线图

排放量，制定相关配套政策工具和手段措施，推动重点行业碳排放尽早达峰。

国家电网发布的碳达峰、碳中和行动方案，提出到2025年，输送清洁能源占比达到50%。中国华能成立碳中和研究所，中石化、中海油等能源企业也宣布已经启动碳中和规划。

国家能源局在坚持全国统一一盘棋的前提下，统一制定全国的碳中和十年规划，统筹推进碳中和，建议针对不同地区采取不同的能源政策。应充分考虑中国民航的发展实际，保持行业发展与控制碳排放的平衡。同时，统筹碳市场机制，推进各行业碳市场建设，并且建立完善的碳排放交易管理平台。

第四章　生态环境保护的法制体系

一、生态环境保护相关的法律

环境保护作为我国明确的基本国策之一，在法律框架下，环境保护法律法规逐步完善，人们对生态环境和环境质量的需求日益提高，以法律为准绳的环境保护意识逐渐深入人心，以往环境污染事件频发现象得到有效遏制。

（一）宪法

《中华人民共和国宪法》是中华人民共和国的根本大法，拥有最高法律效力。中华人民共和国成立后，曾于1954年9月20日、1975年1月17日、1978年3月5日和1982年12月4日通过四个宪法，并历经1988年、1993年、1999年、2004年、2018年五次修订，其作用是保证国家安全和全体公民的根本利益。宪法规定“国家保护和改善生活环境和生态环境，防治污染和其他公害”，并规定“国家保障自然资源的合理利用，保护珍贵的动物和植物。禁止任何组织或者个人用任何手段侵占或者破坏自然资源”，“国家组织和鼓励植树造林，保护树木”等。全文包括序言，总纲，公民的基本权利和义务，国家机构，国旗、国歌、国徽、首都四章共一百四十三条。

（二）生态环境基本的法律体系

（1）《中华人民共和国环境保护法》于 1989 年 12 月 26 日第七次全国人民代表大会常务委员会第十一次会议通过并公布、实施。该法律是为保护和改善环境、防治污染和其他公害、保障公众健康、推进生态文明建设、促进经济社会可持续发展而制定的法律。规定“一切单位和个人都有保护环境的义务，并有权利对污染和破坏环境的单位和个人进行检举和控告”。规定了基本的法律制度：一是环境影响评价审批制度；二是“三同时”制度；三是排污收费制度；四是排污申报制度；五是限期治理制度；六是现场检查制度；七是污染事故报告制度。法律全文包括总则、环境监测管理、保护和改善环境、防治环境污染和其他公害、法律责任、附则六章共四十七条。

（2）《中华人民共和国环境影响评价法》于 2002 年 10 月 28 日第九次全国人民代表大会常务委员会第三十次会议通过，2003 年 9 月 1 日起实施；2016 年 7 月 2 日第一次修订；2018 年 12 月 29 日第二次修订。该法律是为了实施可持续发展战略，预防因规划和建设项目实施后对环境造成不良影响，促进经济、社会和环境的协调发展而制定的法律。法律全文包括总则、规划的环境影响评价、建设项目的环境影响评价、法律责任、附则五章共三十七条。

(3)《中华人民共和国水污染防治法》于 1984 年 5 月 11 日第六届全国人民代表大会常务委员会第五次会议通过;根据 1996 年 5 月 15 日第八届全国人民代表大会常务委员会第十九次会议《关于修改〈中华人民共和国水污染防治法〉的决定》第一次修正;2008 年 2 月 28 日第十届全国人民代表大会常务委员会第三十二次会议修订;根据 2017 年 6 月 27 日第十二届全国人民代表大会常务委员会第二十八次会议《关于修改〈中华人民共和国水污染防治法〉的决定》第二次修正。广义的水污染防治法是指国家为防治水环境的污染而制定的各项法律法规及有关法律规范的总称。狭义的水污染防治法指国家为防止陆地水(不包括海洋)污染而制定的法律法规及有关法律规范的总称。法律全文包括总则、水污染防治的标准和规划、水污染防治的监督和管理、水污染防治措施、一般规定、工业水污染防治、城镇水污染防治、农村水污染防治、船舶水污染防治、饮用水水源和其他特殊水体保护、水污染事故处置、法律责任、附则八章共一百零三条。

(4)《中华人民共和国大气污染防治法》于 1987 年 9 月 5 日第六届全国人民代表大会常务委员会第二十二次会议通过;2000 年 4 月 29 日第九届全国人民代表大会常务委员会第十五次会议第一次修订;2018 年 10 月 26 日第十

三届全国人民代表大会常务委员会第六次会议《关于修改〈中华人民共和国野生动物保护法〉等十五部法律的决定》第二次修正。该法律是为了强调源头治理、全民参与，强化污染排放总量和浓度控制，增加了对重点区域和燃煤、工业、机动车、扬尘等重点领域开展多污染物协同治理和区域联防联控的专门规定，明确了对无证、超标排放和监测数据作假等行为的处罚措施。法律全文包括总则、大气污染防治标准和限期达标规划、大气污染防治的监督管理、大气污染防治措施、燃煤和其他能源污染防治、工业污染防治、机动车船污染防治、扬尘污染防治、能源和其他污染防治、重点区域大气污染联合防治、重污染天气应对、法律责任、附则八章共一百二十九条。

(5)《中华人民共和国固体废物污染环境防治法》于1995年10月30日第八届全国人民代表大会常务委员会第十六次会议通过，1995年10月30日中华人民共和国主席令第五十八号公布，自1996年4月1日起施行；2004年12月29日修订通过，自2005年4月1日起施行；2013年6月29日第十二届全国人民代表大会常务委员会第三次会议通过第二次修订；2015年4月24日第十二届全国人民代表大会常务委员会第十四次会议通过第三次修订；2016年11月29日第十二届全国人民代表大会常务委员会第二十四次会议第四次修订；2020年4月29日第十三届全国人民代表大会常务委员会第十七次会议通过第五次修订，自2020年9月1日起施行。该法律是为了保护和改善生态环境,防治固体废物污染环境,保障公众健康,维护生态安全,推进生态文明建设,促进经济社会可持续发展,而制定的法律。法律全文包括总则、监督管理、工业固体废物、生活垃圾、建筑垃圾农业固体废物、危险废物、保障措施、法律责任、附则九章共一百二十六条。

(6)《中华人民共和国环境噪声污染防治法》于1996年10月29日第八届全国人民代表大会常务委员会第二十二次会议通过,自1997年3月1日起施行。2018年12月29日第十三届全国人民代表大会常务委员会第七次会议通过对《中华人民共和国环境噪声污染防治法》做出修改。该法律是为防治环境噪声污染,保护和改善生活环境,保障人体健康,促进经济和社会发展,制定本法。法律全文包括总则、环境噪声污染防治和监督管理、工业噪声污染防治、建筑施工噪声污染防治、交通运输噪声污染防治、社会生活噪声污染防治、法律责任、附则八章共六十四条。

(7)《中华人民共和国海洋环境保护法》于1982年8月23日第五届全国人民代表大会常务委员会第二十四次会议通过;2013年12月28日第一次修正;2016年11月7日第十二届全国人民代表大会常务委员会第二十四次会议《关于修改〈中华人民共和国海洋环境保护法〉的决定》第二次修正;2017年11月4日第十二届全国人民代表大会常务委员会第三十次会议《关于修改〈中华人民共和国

会计法〉等十一部法律的决定》第三次修正。该法律是为了保护和改善海洋环境，保护海洋资源，防治污染损害，维护生态平衡等而制定的。法律全文包括总则、海洋环境监督管理、海洋生态保护、防治陆源污染物、海岸工程建设项目对海洋环境的污染损害、法律责任、附则等十章共九十七条。

(8)《中华人民共和国土壤污染防治法》于 2018 年 8 月 31 日第十三届全国人大常委会第五次会议通过，自 2019 年 1 月 1 日起施行。该法律由环保部起草，目的是制定防治土壤污染行动计划。其目的是重点做好建立相应法律制度和体系；加强工矿企业环境监管，切断污染源头遏制扩大趋势；对污染土地实行分级分类管理，建立自己的技术体系，逐步推动风险管控四个方面工作。法律全文包括总则，规划、标准、普查和监测，预防和保护，风险管控和修复，保障和监督，法律责任，附则七章共九十九条。

(9)《中华人民共和国放射性污染防治法》于 2003 年 6 月 28 日第十届全国人民代表大会常务委员会第三次会议通过，2003 年 10 月 1 日起施行。该法律是为了防治放射性污染，保护环境，保障人体健康，促进核能、核技术的开发与和平利用，制定本法。法律全文包括总则、放射性污染防治的监督管理、核设施的放射性污染防治、核技术利用的放射性污染防治、铀(钍)矿和伴生放射性矿开发利用的放射性污染防治、放射性废物管理、法律责任、附则八章共六十三条。

(10)《中华人民共和国清洁生产促进法》于2002年6月29日由中华人民共和国第九届全国人民代表大会常务委员会第二十八次会议通过,自2003年1月1日起施行;2012年2月29日第十一届全国人民代表大会常务委员会第二十五次会议《关于修改〈中华人民共和国清洁生产促进法〉的决定》修正,自2012年7月1日起施行。该法律为促进清洁生产,提高资源利用效率,减少和避免污染物的产生,保护和改善环境,保障人体健康,促进经济与社会可持续发展,而制定的法律。法律全文包括总则、清洁生产的推行、清洁生产的实施、鼓励措施、法律责任、附则六章共四十条。

(11)《中华人民共和国水法》于2016年7月2日第十二届全国人民代表大会常务委员会第二十四次会议通过并颁布实施。该法律是为了合理开发、利用、节约和保护水资源,防治水害,实现水资源的可持续利用,适应国民经济和社会发展的需要而制定的法律。法律全文包括总则,水资源规划,水资源开发利用,水资源、水域和水工程的保护,水资源配置和节约使用,水事纠纷处理和执法监督检查,法律责任,附则八章共八十二条。

(12)《中华人民共和国环境保护税法》于2016年12月25日第十二届全国人民代表大会常务委员会第二十五次会议通过,自2018年1月1日起施行。法律全文包括为总则、计税依据和应纳税额、税收减免、征收管理、附则共五章二十八条。

与此同时，国家环境保护主管部门还制定了《建设项目环境保护管理条例》《规划环境影响评价条例》《城镇污水排放与处理条例》《消耗臭氧层物质管理条例》《废弃电子电器产品回收处理管理条例》《医疗废物管理条例》《放射性同位素与射线装置安全和防护条例》《放射性废物安全管理条例》《危险化学品安全管理条例》《畜禽规模养殖污染防治条例》《防治船舶污染海洋环境管理条例》《防止拆船污染环境管理条例》《中华人民共和国环境保护税法实施条例》等环境保护行政法规，并制定了《排污许可管理办法(试行)》《环境保护行政许可听证暂行办法》《环境信息公开办法(试行)》《危险废物目录》《建设项目环境影响评价分类管理名录》《电子废物污染环境防治管理办法》《建设项目环境影响后评价管理办法》《污染地块土壤环境管理办法》《突发环境事件调查处理办法》《突发环境事件应急管理办法》《环境行政处罚办法》《医疗废物管理行政处罚办法》《环境行政执法后督查办法》《环境行政复议办法》《环境保护公众参与办法》《环境信访办法》《环境保护主管部门实施按日连续处罚办法》《环境主管部门实施查封、扣押办法》等行政管理办法。

为了有效实施上述法律法规和规章，国家还通过了行政处罚法、行政许可法、行政诉讼法、行政复议法和行政强制法等。

(三)司法介入

为保障有效的环境执法,国家在生态环境执法中引入了刑法的部分条款,增强环境保护法律体系在督促各类污染排放单位环境污染控制与治理中的权威性。

《中华人民共和国刑法》《中华人民共和国治安管理处罚法》《最高人民法院、最高人民检察院关于办理环境污染刑事案件适用法律若干问题的解释》《行政执法机关移送涉嫌犯罪的规定》《行政主管部门移送适用行政拘留环境违法案件暂行办法》等都明确了环境违法的适用条款。

全国各地在司法实践中对危险废物非法处置、污染环境、环境数据造假等案件,加大了环境违法处罚力度,显示对环境违法的零容忍,强化了法律在建设生态文明、环境保护中震慑的作用,取得明显效果。

二、生态环境标准体系

针对影响环境要素所做的统一的、法定的和技术的规定。环境标准是环境保护工作中最重要的工具之一,用来规范生态环境工作,考核生态环境质量,评价污染防治的效果。标准具有法律效力,同时也是进行生态环境规划、环境管理、环境评价和城市建设的依据之一。

国家生态环境标准包括国家生态环境质量标准、国家生态环境风险管控标准、国家污染物排放标准、国家生态环境监测标准、国家生态环境基础标准和国家生态环境管理技术规范。国家生态环境标准在全国范围或者标准指定区域范围执行。

地方生态环境标准包括地方生态环境质量标准、地方生态环境风险管控标准、地方污染物排放标准和地方其他生态环境标准。地方生态环境标准在发布该标准的省、自治区、直辖市行政区域范围或者标准指定区域范围执行。有地方生态环境质量标准、地方生态环境风险管控标准和地方污染物排放标准的地区，应当依法优先执行地方标准。

制定完善的生态环境标准体系明确了环境质量与污染物排放的执行参数与排放限值、监测标准，按标准采集的环境监测数据以相应标准为基准，判断环境质量等级和排污对象的污染物排放强度、排放总量是否符合建设项目环境影响评价报告、污染物排放总量和污染物排放限值要求。

（一）主要污染物种类

污染物是指进入环境后直接或者间接有害于人类和其他生物的物质。污染物可以定义为：进入环境后使环境的正常组成发生变化，直接或者间接有害于生物生长、发育和繁殖的物质。污染物的作用对象是包括人在内的所有生物。

污染物来源于自然界的释放，或通过人类社会活动而产生,进入环境后干扰了环境的正常组成与性质,直接或间接影响了环境,导致环境质量恶化。环境科学主要研究人类活动产生的污染物及其对环境的影响。由于大多数污染物原是生产中的有用物质,故综合利用、变废为宝已成为环境污染治理中的一项积极措施。

污染物往往本是生产中的有用物质,有的甚至是人类和其他生物必需的营养元素。但如果没有充分利用而大量排放,或不加以回收和重复利用,就会成为环境中的污染物。因此,一种物质成为污染物,必须在特定的环境中达到一定的数量或浓度,并且持续一定的时间。数量或浓度低于某个水平(如低于环境标准容许值或不超过环境自净能力)或只短暂地存在,不会造成环境污染。例如铬是人体必需的微量元素,氮和磷是植物的营养元素。如果它们较长时期在环境中浓度较高,就会造成人体中毒、水体富营养化等有害后果。有的污染物进入环境后,通过化学或物理反应或在生物作用下会转变成新的危害更大的污染物,也可能降解为无害的物质。不同污染物同时存在时,由于拮抗或协同作用,会使毒性降低或增强。随着人类生产的发展、技术的进步,原有污染物的排放量和种类会逐渐减少。但与此同时,也会发现和产生更多新的污染物。

污染物可有多种分类方法,按污染物的来源可分为自然来源的污染物和人为来源的污染物,有些污染物(如二氧化硫）既有自然来源的又有人为来源的。按受污染物影响的环境要素可分为大气污染物、水体污染物、土壤污染物等。按污染物的形态可分为气体污染物、液体污染物和固体废物。按污染物的性质可分为化学污染物、物理污染物和生物污染物；化学污染物又可分为无机污染物和有机污染物；物理污染物又可分为噪声、微波辐射、放射性污染物等；生物污染物又可分为病原体、变应原污染物等。按污染物在环境中物理、化学性状的变化可分为一次污染物和二次污染物。此外，为了强调污染物对人体的某些有害作用，还可划分出致畸物、致突变物和致癌物、可吸入的颗粒物以及恶臭物质等。

已开展的环境质量监测、环境质量周报、日报、预报监测；污染源监测、污染事故应急监测、污染物总量控制监测、污染源解析监测和环境污染治理工程效果监测等工作。监测的污染因子达百余种，随着人类对环境质量认识的提高，对危害生态环境的因素和污染来源的认识，有许多新的污染源和污染因子不断地被发现并将纳入环境监测范围成为环境监测对象。

1.大气主要污染物

（1）二氧化硫（SO_2）。二氧化硫主要由燃煤及燃料油等含硫物质燃烧产生，其次是来自自然界，如火山爆发、森林起火等产生。二氧化硫对人体的结膜和上呼吸道黏膜有强烈刺激性，可损伤呼吸器官导致支气管炎、肺炎，甚至肺水肿、呼吸麻痹。短期接触二氧化硫浓度为0.5毫克/米^{3}空气的老年人或慢性病人死亡率增高，浓度高于0.25毫克/米^3，可使呼吸道疾病患者病情恶化。长期接触二氧化硫浓度为0.1毫克/米^{3}空气的人群呼吸系统病症增加。另外，二氧化硫容易造成金属、房屋建筑、棉纺化纤织品、皮革纸张等材料腐蚀、剥落、褪色而损坏，还可使植物叶片变黄甚至枯死。国家环境质量标准规定，居住区日平均浓度低于0.15毫克/米^3，年平均浓度低于0.06毫克/米^3。

（2）氮氧化物（NO_x）。空气中含氮的氧化物有一氧化二氮（N_2O）、一氧化氮（NO）、二氧化氮（NO_2）、三氧化二氮（N_2O_3）等，其中占主要成分的是一氧化氮和二氧化氮，以NO_x（氮氧化物）表示。NO_x污染主要来源于生产、生活中所用的煤、石油等燃料燃烧的产物（包括汽车及一切内燃机燃烧排放的NO_x）；其次是来自生产或使用硝酸的工厂排放的尾气。当NO_x与碳氢化合物共存于空气中时，经阳光紫外线照射，发生光化学反应，产生一种光化学烟雾，它是一种有毒性的二次污染物。NO_2比NO的毒性高4倍，可引起肺损害，甚至造成肺水肿。慢性中毒可致气管、肺病变。吸入NO，可引起变性血红蛋白的形成并对中枢神经系统产生影响。NO_x对动物的影响浓度大致为1.0毫克/米^3，对患者的影响浓度大致为0.2毫克/米^3。国家环境质量标准规定，居住区的平均浓度低于0.10毫克/米^3，年平均浓度低于0.05毫克/米^3。

（3）颗粒污染物。空气中的颗粒污染物数量大、成分复杂，它本身可以是有毒物质或是其他污染物的载体。其主要来源于煤及其他燃料的不完全燃烧而排出的煤烟、工业生产过程中产生的粉尘、建筑和交通扬尘、随风的扬尘等，以及气态污染物经过物理化学反应形成的盐类颗粒物。在空气污染监测中，颗粒污染物的监测项目主要为总悬浮颗粒物、自然降尘和飘尘。

（4）总悬浮颗粒物。总悬浮颗粒物（total suspended particulate，TSP）是指粒径在 100 微米以下的颗粒物。其对人体的危害程度主要决定于自身的粒度大小及化学组成。TSP 中粒径大于 10 微米的物质，几乎都可被鼻腔和咽喉所捕集，不进入肺泡。

对人体危害最大的是 10 微米以下的悬浮颗粒物，称为飘尘。可经过呼吸道沉积于肺泡。慢性呼吸道炎症、肺气肿、肺癌的发病与空气颗粒物的污染程度明显相关，当长年接触颗粒物浓度高于 0.2 毫克/米^3 的空气时，其呼吸系统病症增加。国家环境质量标准规定居住区日平均浓度低于 0.3 微克/米^3，年平均浓度低于 0.2 微克/米^3。

（5）自然降尘。自然降尘指粒径大于 10 微米在空气中经重力作用就能沉降到地面上的灰尘。其来源以风沙扬尘为主。人吸入灰尘会增加呼吸道的阻力，呼吸道出现狭窄现象。

（6）酸雨。指降水的 pH 值低于 5.6 时，降水即为酸雨。煤炭燃烧排放的二氧化硫和机动车排放的氮氧化物是形成酸雨的主要因素;气象条件和地形条件也是影响酸雨形成的重要因素。降水酸度 pH 值低于 4.9 时,将会对森林、农作物产生明显损害。

(7)一氧化碳。一氧化碳(CO)是无色、无味的气体。主要来源于含碳燃料、卷烟的不完全燃烧,其次是炼焦、炼钢、炼铁等工业生产过程所产生的。人体吸入一氧化碳易与血红蛋白相结合生成碳氧血红蛋白,而降低血流载氧能力,导致人的意识减弱,使中枢神经功能减弱,心脏和肺呼吸功能减弱;受害人感到头昏、头痛、恶心、乏力,甚至昏迷死亡。我国空气环境质量标准规定居住区一氧化碳日平均浓度低于 4 毫克/米^3。

(8)氟化物。氟化物是指以气态与颗粒态存在的无机氟化物。主要来源于磷肥厂、钢铁厂、冶铝厂等含氟产品的生产过程。氟化物对眼睛及呼吸器官有强烈刺激,吸入高浓度的氟化物气体时,可引起肺水肿和支气管炎。长期吸入低浓度的氟化物气体会引起慢性中毒和氟骨症,使骨骼中的钙质减少,导致骨质硬化和骨质疏松。《环境空气质量标准》(GB 3095—2012)规定城市地区日平均浓度低于 7 微克/米^3。

(9)铅及其化合物。铅及其化合物是指存在于总悬浮颗粒物中的铅及其化合物。主要来源于汽车排出的尾气。铅进入人体,可大部分蓄积于人的骨骼中,损害骨骼造血系统和神经系统,对男性的生殖腺也有一定的损害。引起临床症状为贫血、末梢神经炎,出现运动和感觉异常。尿铅应低于80微克/升,血铅应低于50微克/升。

2.地面水主要污染物

地面水中主要污染物指标主要有氨氮、石油类、化学耗氧量、五日生化需氧量、挥发酚、汞和氰化物。

(1)氨氮。指以氨或铵离子形式存在的化合氨,氨氮主要来源于人和动物的排泄物,生活污水中平均含氮量每人每年为2.5~4.5千克。雨水径流以及农用化肥的流失也是氮的重要来源。另外,氨氮还来自化工、冶金、石油化工、油漆颜料、煤气、炼焦、鞣革、化肥等工业废水中。当氨溶于水时,其中一部分氨与水反应生成铵离子,一部分形成水合氨,也称非离子氨。非离子氨是引起水生生物毒害的主要因子,而氨离子相对基本无毒。国家标准Ⅲ类地面水,非离子氨的浓度小于等于0.02毫克/升。氨氮是水体中的营养素,可导致水富营养化现象产生,是水体中的主要耗氧污染物,对鱼类及某些水生生物有毒害。

(2)石油类。主要来源于石油的开采、炼制、储运、使用和加工过程。石油类污染对水质和水生生物有相当大的危害。漂浮在水面上的油类可迅速扩散,形成油膜,阻碍水面与空气接触,使水中溶解氧减少。油类含有多环芳烃致癌物质,可经水生生物富集后危害人体健康。

(3)化学耗氧量。是指化学氧化剂氧化水中有机污染物时所耗氧量。化学耗氧量越高,表示水中有机污染物越多。水中有机污染物主要来源于生活污水或工业废水的排放、动植物腐烂分解后流入水体产生的。水体中有机物含量过高可降低水中溶解氧的含量,当水中溶解氧消耗殆尽时,水质则腐败变臭,导致水生生物缺氧,以致死亡。

(4)五日生化需氧量。五日生化需氧量也是水质有机污染综合指标之一,是指在一定温度(20℃)时,微生物作用下氧化分解所需的氧量。其来源、危害同化学耗氧量。

(5)挥发酚。水体中的酚类化合物主要来源于含酚废水,如焦化厂、煤气厂、石油炼厂、木材干馏、合成树脂、合成纤维、染料、医药、香料、农药、玻璃纤维、油漆、消毒剂、化学试剂等工业废水。酚类属有毒污染物,但其毒性较低。酚类化合物对鱼类有毒害作用,鱼肉中带有煤油味就是受酚污染的结果。

(6)汞。汞及其化合物属于剧毒物质,可在体内蓄积。水体中的汞主要来源于贵金属冶炼、仪器仪表制造、食盐电解、化工、农药、塑料等工业废水,其次是空气、土壤中的汞经雨水冲刷而迁入水体。水体中汞对人体的危害主要表现为头痛、头晕、肢体麻木和疼痛等。总汞中的甲基汞在人体内极易被肝和肾吸收,其中有15%被脑吸收,但首先受损的是脑组织,并且难以治疗,往往促使死亡或遗患终生。

(7)氰化物。氰化物包括无机氰化物、有机氰化物和络合状氰化物。水体中氰化物主要来源于冶金、化工、电镀、焦化、石油炼制、石油化工、染料、药品生产以及化纤等工业废水。氰化物具有剧毒，氰化氢对人的致死量约为50微克，氰化钠约为100微克，氰化钾约为120微克。氰化物经口、呼吸道或皮肤进入人体，极易被人体吸收。急性中毒症状表现为呼吸困难、痉挛、呼吸衰竭，导致死亡。

3.噪声污染

从物理定义而言，振幅和频率上完全无规律的震荡称之为噪声。从环境保护角度而论，凡是人们所不需要的声音统称为噪声。噪声的显著特点是：无有形污染物存在、不产生能量积累、时间有限、传播不远、振动源停止振动噪声消失、不能集中治理。噪声来源于交通工具、工厂机器设备、建筑施工和人们的社会、家庭活动。噪声对人类的危害是多方面的，其主要表现为对听力的损伤、睡眠干扰、人体的生理和心理影响。当人在100分贝左右的噪声环境中工作时会感到刺耳、难受，甚至引起暂时性耳聋。超过140分贝的噪声会引起眼球的振动、视觉模糊，呼吸、脉搏、血压都会发生波动，甚至会使全身血管收缩，供血减少，说话能力受到影响。

4.室内空气污染

对大多数人来说，一生中的绝大部分时间是在室内度过的，因此，狭义地讲，室内环境对比室外更重要，室内环境对人们的生活和工作质量以及公众的身体健康影响远远超过室外环境。室内环境主要包括室内的空气质量、工作环境、热环境、光(照度)、噪声等多方面的内容。

室内空气质量是一个既古老又新鲜的问题。1902 年东京医学杂志上就发表了关于日本房屋换气的论文,在 20 世纪 70 年代石油危机之后,由于能源短缺,世界各国普遍采取了建筑节能措施,减少空调换气次数,使室内空气质量显著恶化,严重影响了人们的健康,各种疾病显著增加,出现了“病态建筑综合征”。室内空气质量成为全世界关注、研究的热点,由于人们生活水平的提高,对室内环境的舒适感提出了越来越高的要求,所以也进一步推动了对室内空气质量的研究。

自 20 世纪 90 年代以来,我国在改善大气环境质量方面投入了大量的人力和物力,这对于保障人体健康起到了积极的作用。然而,由于建筑材料的围隔作用,使得室内空气有别于室外,特别是随着节能和温度舒适要求的提高,建筑物密闭程度不断增大,相应地,室内与室外空气交换量减小,这使得室内与室外的环境差异更加明显。大量研究表明,室内空气的污染程度大多高于室外。所以,加强改善室内空气质量尤其迫切。

鉴于室内空气污染的危害性及普遍性,有专家认为,继“煤烟型污染”和“汽车尾气污染”之后,人类已经进入以“室内空气污染”为标志的第三污染时期。与此同时,随着室内空气质量日益受到公众的广泛关注,室内空气污染的控制也很快提到环保的议事日程上来，并成为迫切需要解决的重要问题。

(1)室内空气污染的定义。室内环境是指采用天然材料或人工材料围隔而成的小空间，是与外界大环境相对分隔而成的小环境。包括居室、教室、会议室、办公室、候车(机、船)大厅和医院等各种非生产性室内场所。

通常所说的空气污染是指室外空气受到污染。我国的空气污染治理始于20世纪70年代，主要围绕工业污染源进行治理。国家对环保投入的加大，国民环保意识的提高，特别是全国主要城市空气污染日报及预报的发布使各界、各阶层人士对环境的重视，尤其是对人们自身生活范围环境的重视达到从前未有的程度。实际上，室内环境污染往往比室外污染的危害更为严重，空气中的微粒、细菌、病毒和其他有害物质日积月累地损害着人们的身体健康，特别是长期处于封闭室内环境的人尤其如此。

我国20世纪80年代以前，室内污染物主要是燃煤所产生的二氧化碳、一氧化碳、二氧化硫、氮氧化物。90年代初期，由于室内吸烟、燃煤、烹调以及人体呼出的二氧化碳等多种有害物质对室内的污染日益严重，这种对室内空气污染的初级治理，不久就渐渐退潮。20世纪90年代末期，随着住宅改革和国民生活水平的提高，特别是建材业的高速发展和装修热的兴起，装饰材料成为室内污染的主要来源。尤其是空调的普遍使用，要求建筑结构有良好的密闭性能,能达到节能的目的,而现行设计的空调系统多数新风量不足,在这种情况下造成室内空气质量进一步恶化。

因此,室内空气污染可以定义为:由于室内引入能释放有害物质的污染源或室内环境通风不佳,而导致室内空气中有害物质无论是从数量上还是从种类上不断增加,并引起人的一系列不适症状的现象。

(2)室内空气污染的特征。室内空气污染包括化学性污染、生物性污染和物理性污染。化学性污染是指因化学物质,如甲醛、苯系物、氨气、氡、挥发性有机化合物(VOC)及其子体和悬浮颗粒物等的混合污染。生物污染是指因生物污染因子,包括细菌、真菌(包括真菌孢子)、花粉、病毒和生物体引起的污染。物理性污染是指因物理因素,如电磁辐射、噪声、震动以及不合适的温度、湿度、风速和照明等引起的污染。

5.固体废物

固体废物是指人类在生产和生活活动中丢弃的固体和泥状的物质,简称固废。各类生产活动中产生的固体废物俗称废渣;生活活动中产生的固体废物则称为垃圾。固体废物的分类方法很多,按其组成可分为有机废物和无机废物;按其危害状况可分为危险废物(氰化尾渣、含汞废物)、有害废物(腐蚀、腐败、剧毒、传染、自燃、锋刺、放射性等废物)和一般废物;按其形态可分为固体废物(块状、粒状、粉状)、半固态废物(废机油等)和非常规固态废物(含有气态或固态物质的固态废物，如废油桶、含废气态物质、污泥等）；按其来源可分为工业固体废物、矿业固体废物、农业固体废物、城市生活垃圾、危险固体废物、放射性废物和非常规来源固体废物。

固体废物还可分为有毒和无毒两大类。有毒固体废物是指具有毒性、易燃性、腐蚀性、反应性、放射性和传染性的固体、半固体废物。固体废物处理技术涉及物理学、化学、生物学、机械工程等多种学科，固体废物在填埋和投弃海洋之前需要进行无害化处理。

目前在我国城市中，开始倡导对生活垃圾的分类置放，就是为了便于处理与利用、减轻固体废物的污染压力。

1）工业固体废物

工业固体废物是指工业生产过程和工业加工过程中产生的废渣、粉尘、碎屑、污泥等。

（1）冶金固体废物。冶金固体废物主要是指各种金属冶炼过程中排出的残渣，如高炉渣、钢渣、铁合金渣、铜渣、锌渣、镍渣、铬渣、镉渣、汞渣、赤泥等。

（2）燃料灰渣。燃料灰渣是指煤炭开采、加工、利用过程中排出的煤矸石、粉煤灰、烟道灰、页岩灰等。

（3）化学工业固体废物。化学工业固体废物是指化学工业生产过程中产生的种类繁多的工艺渣。如硫铁矿烧渣、煤造气炉渣、油造气炭渣、黄磷炉渣、磷泥、磷石膏、烧碱盐泥、纯碱盐泥、化学矿山尾矿渣、蒸馏釜残渣、废母液、废催化剂等。

(4)石油工业固体废物。石油工业固体废物是指石油开采、炼油和油品精制过程中排出的固体废物,如碱渣、酸渣以及炼油厂污水处理过程中排出的浮渣、含油污泥等。

(5)矿业固体废物。矿业固体废物主要包括废石和尾矿。废石是指各种金属、非金属矿山开采过程中从主矿上剥离下来的各种围岩,尾矿是在选矿过程中提取精矿以后剩下的尾渣。

(6)粮食、食品工业固体废物。粮食、食品工业固体废物是指粮食、食品加工过程中排弃的谷屑、下脚料、渣滓等。

(7)其他固体废物。如机械和木材加工工业产生的碎屑、边角下料、刨花;纺织、印染工业产生的泥渣、边料等。

2)农业固体废物

农业固体废物是指农业生产、畜禽饲养、农副产品加工以及农村居民生活活动排出的废物,如植物秸秆、人畜粪便等。

3)城市垃圾

城市垃圾是指居民生活、商业活动、市政建设与维护、机关办公等过程产生的固体废物的总称。

(1)居民生活垃圾。城市是产生生活垃圾最为集中的地方,主要包括居民的厨余垃圾、废纸、废织物、废家用什具、废玻璃和陶瓷碎片、废弃电器电子产品、废塑料制品、煤灰渣、废弃家具大件垃圾和废弃交通工具等。

(2)建筑垃圾和清扫垃圾。建筑垃圾包括废砖瓦、碎石、渣土、混凝土碎块和装修垃圾等建筑渣土。城市维护需要日常清扫,其中有枯枝败叶、灰尘等垃圾。

(3)商业及办公固体废物。商业固体废物包括废纸、各种废旧的包装材料、丢弃的主副食品等。

(4)粪便。城市居民产生的粪便,大都通过下水道经市政管网输送到城市污水处理厂处理。还有个别城市下水处理设施少,居民粪便先排入住宅小区配套建设的化粪池,需要定期收集、清运。居民粪便是城市固体废物的重要组成部分。

(5)河道淤泥。河道淤泥是河道自然过程形成的底泥,由于水含量高,含有重金属、有机质等污染物,任意堆放会产生臭气,必然会对周边环境造成二次污染。

4)放射性废物

放射性废物包括核燃料生产、加工,同位素应用,核电站、核研究机构、医疗单位、放射性废物处理设施产生的废物,如尾矿、污染的废旧设备、仪器、防护用品,含放射性的废树脂、水处理污泥以及蒸发残渣。

5)危险废物

危险废物是指各类固体废物中具有毒性、易燃性、爆炸性、腐蚀性、化学反应性和感染性的废物,我国现行的《危险废物目录》中列入危险废物清单的有 46 大类、476 种,成分复杂,对生态环境和人类健康构成了严重威胁,被称为人类和其他动植物“杀手”的废电池、废灯管和医院的特种垃圾,都列入了国家危险废物名录,并发布有危险废物鉴别标准。

6)非常规来源固体废物

来源于自然灾害、军事工业、战争、航空航天业等的固体废物。

(二)生态环境质量标准

环境质量标准是为保护自然环境、人体健康和社会财富,对环境中的有害物质和因素做出的限制性规定。

环境标准是制定国家环境政策的依据,是国家环境政策的具体体现,是执行环保法规的基本保证,通过环境质量标准的实施可以实现科学管理环境,提高环境管理水平,也是处理环境纠纷、进行环境质量评价的依据及衡量环境质量状况的主要尺度。我国已发布的环境质量标准有以下几种。

(1)《地表水环境质量标准》(GB 3838—2002)。本标准中分别设置基本项目、集中式生活饮用水地表水源地补充项目和集中式生活饮用水地表水源地特定项目。基本项目适用于全国江河、湖泊、运河、渠道、水库等具有使用功能的地表水水域;集中式生活饮用水地表水源地补充项目和特定项目适用于集中式生活饮用水地表水源地一级保护区和二级保护区。集中式生活饮用水地表水源地等特定项目由县级以上人民政府环境保护行政主管部门根据本地区地表水水质特点和环境管理的需要进行选择，集中式生活饮用水地表水源地补充项目和选择确定的特定项目作为基本项目的补充指标。本标准项目共计 109 项，其中地表水环境质量标准基本项目 24 项，集中式生活饮用水地表水源地补充项目 5 项，集中式生活饮用水地表水源地特定项目 80 项。

(2)《环境空气质量标准》(GB 3095—2012)。本标准规定了环境空气功能区分类、标准分级、污染物项目、平均时间及浓度限值、监测方法、数据统计的有效性规定及实施与监督等内容。各省、自治区、直辖市人民政府对本标准中未做规定的污染物项目，可以制定地方环境空气质量标准。本标准适用于环境空气质量评价与管理。

(3)《土壤环境质量农用地土壤污染风险管控标准(试行)》(GB 15618—2018)。土壤环境质量标准是土壤中污染物的最高允许含量。污染物在土壤中的残留积累，以不致造成作物的生育障碍、在籽粒或可食部分中的过量积累(不超过食品卫生标准)或影响土壤、水体等环境质量为界限。为贯彻《中华人民共和国环境保护法》防止土壤污染，保护生态环境，保障农林生长和土壤主要性质，规定了土壤中污染物的最高允许浓度指标值及相应的监测方法。本标准适用于农田、蔬菜地、茶园、果园、牧场、林地、自然保护区等地的土壤。

(4)《地下水质量标准》(GB/T 14848—2017)。本标

准将地下水指标分别分为常规指标和非常规指标，规定了地下水质量分类、指标及限值，地下水质量调查与监测，地下水质量评价等内容。

（5）《海水水质标准》（GB 3097—1997）。世界各国有关海水水质标准概念的提法，制定的原理、方法和科学依据，以及在形式和内容方面均有较大的差异。但是，重点都是为了保护人体健康和生态平衡，并优先制定和发布沿岸水水质标准。世界上沿海国家已发布的有关海水的水质标准可概括为三类，即卫生、水生生物保护及一般景观。我国的海水水质标准按照海域的不同使用功能和保护目标，海水水质分为四类：第一类适用于海洋渔业水域，海上自然保护区和珍稀濒危海洋生物保护区；第二类适用于水产养殖区、海水浴场、人体直接接触海水的海上运动或娱乐区，以及与人类食用直接有关的工业用水区；第三类适用于一般工业用水区、滨海风景旅游区；第四类适用于海洋港口水域、海洋开发作业区。

（6）《渔业水质标准》（GB 11607—89）。本标准为贯彻执行《中华人民共和国环境保护法》《中华人民共和国水污染防治法》《中华人民共和国海洋环境保护法》《中华人民共和国渔业法》，防止和控制渔业水域水质污染，保证鱼、贝、藻类正常生长、繁殖和水产品的质量，制定的标准。

（7）《农田灌溉水质标准》（GB 5084—2021）。本标准适用于全国以地表水、地下水和处理后的养殖业废水及以农产品为原料加工的工业废水作为水源的农田灌溉用水。本标准将控制项目分为基本控制项目和选择性控制项目。基本控制项目适用于全国以地表水、地下水和处理后的养殖业废水及以农产品为原料加工的工业废水为水源的农田灌溉用水;选择性控制项目由县级以上人民政府环境保护和农业行政主管部门,根据本地区农业水源水质特点和环境、农产品管理的需要进行选择控制,所选择的控制项目作为基本控制项目的补充指标。控制项目共计27项,其中农田灌溉用水水质基本控制项目16项,选择性控制项目11项。

(8)《声环境质量标准》(GB 3096—2008)。本标准规定了各类区域昼间和夜间环境噪声的标准值,并对适用区域的划定做出了明确规定。包括以下内容:①“特殊住宅区”是指特别需要安静的住宅区,其环境噪声标准值为昼间45分贝、夜间35分贝。②“居民、文教区”是指纯居民区和文教、机关区,其环境噪声标准值为昼间50分贝、夜间40分贝。③“1类声环境功能区”是指以居民住宅、医疗卫生、文化教育、科研设计、行政办公为主要功能,需要保持安静的区域。其环境噪声标准值为昼间55分贝、夜间45分贝。④“2类声环境功能区”是指以商业金融、集市贸易为主要功能,或者居住、商业、工业混杂,需要维护住宅安静的区域,其环境噪声标准值为昼间60分贝、夜间50分贝。⑤“3类声环境功能区”指以工业生产、仓储物流为主要功能，需要防止工业噪声对周围环境产生严重影响的区域，其环境噪声标准值为昼间65分贝、夜间55分贝。⑥“4类声环境功能区”指交通干线两侧一定距离之内，需要防止交通噪声对周围环境产生严重影响的区域，包括4a类和4b类两种类型。4a类为高速公路、一级公路、二级公路、城市快速路、城市主干路、城市次干路、城市轨道交通（地面段）、内河航道两侧区域；4b类为铁路干线两侧区域。其环境噪声标准值为4a类昼间70分贝、夜间55分贝。4b类昼间70分贝、夜间60分贝。

（9）《电离辐射防护与辐射源安全基本标准》（GB 18871—2002）。为了保障放射工作人员和广大公众的安全与健康、保护环境，促进核科学技术、核能和其他辐射应用事业的发展，制定本规定。伴有辐射照射的一切实践和设施的选址、设计、运行和退役，都必须遵守本规定。规定了对电离辐射防护和辐射源安全要求。

（三）生态环境风险管控标准

落实习近平在全国生态环境保护大会上提出的“要有效防范生态环境风险”指示，针对未来可能发生的生态环境问题及其影响后果，认识生态环境安全是国家安全的重要组成部分，是经济社会持续健康发展的重要保障。生态环境特别是大气、水、土壤污染严重，已成为全面建成小康社会的突出短板。在已有的污染物排放标准基础上，制定生态环境管控标准势在必行。如《生态环境损害鉴定评估监测技术规范》(DB43/T 1545—2018)、《污染地块风险管控与土壤修复效果评估技术导则(试行)》(HJ 25.5—2018)、《污染地块地下水修复和风险管控技术导则》(HJ 25.6 —2019)等。

(四)污染物排放标准

污染物排放标准(或控制标准),是为实现环境质量标准,结合技术经济条件和环境特点,对向环境排放污染物或危害环境的其他因素做出的限制性规定。目的是保护人群健康,防治环境污染,促使生态良性循环,合理利用资源,促进经济发展。依据环境保护法和有关政策,对有关环境的各项工作所做的规定。是监督管理的最重要的措施之一,是行使管理职能和执法的依据,也是衡量排污状况和环境质量状况的主要尺度。

第一类污染物不分行业和污水排放方式,也不分受纳水体的功能类别,一律在车间或车间处理设施排放口采样,其最高允许排放浓度必须满足排放标准限值要求,采矿行业的尾矿坝出水口不得视为车间排放口。第二类污染物在排污单位排放口采样,其最高允许排放浓度必须满足排放标准限值要求。

目前,我国已制定各类国家环境标准 410 项,覆盖了大气、水质、土壤、噪声、辐射、固体废物等领域,主要有以下内容。

1.主要的污水排放标准

（1）《污水综合排放标准》。本标准按照污水排放去向，分年限规定了69种水污染物最高允许排放浓度及部分行业最高允许排水量。排入GB 3838地表水Ⅲ类功能水域（划定的保护区和游泳区除外）和排入GB 3097海水二类功能海域的污水，执行一级标准。排入GB 3838Ⅳ、Ⅴ类水域和排入GB 3097三类海域的污水，执行二级标准。排入设置二级污水处理厂的城镇排水系统的污水，执行三级标准。排入未设置二级污水处理厂的城镇排水系统的污水，必须根据排水系统出水受纳水域的功能要求，分别执行前两项规定。GB 3838Ⅰ、Ⅱ类水域和Ⅲ类水域中划定的保护区，GB 3097中一类海域，禁止新建排污口，现有排污口应按水体功能要求，实行污染物总量控制，以保证受纳水体水质符合规定用途的水质标准。

（2）行业标准。目前我国允许造纸工业、船舶工业、海洋石油开发工业、纺织染整工业、肉类加工工业、钢铁工业、合成氨工业、航天推进剂、兵器工业、磷肥工业、烧碱、聚氯乙烯工业12个工业门类，不执行国家污水综合排放标准，可执行相应的行业标准。

（3）《城镇污水处理厂污染物排放标准》（GB 19818—2002）。根据城镇污水处理厂排入地表水域环境功能和保护目标，以及污水处理厂的处理工艺，将基本控制项目的常规污染物标准值分为一级标准、二级标准、三级标准。

一级标准分为A标准和B标准。一类重金属污染物和选择控制项目不分级。一级标准的A标准是城镇污水处理厂出水作为回用水的基本要求。当污水处理厂出水引入稀释能力较小的河湖作为城镇景观用水和一般回用水等用途时,执行一级标准的A标准。地表水Ⅲ类功能水域(划定的饮用水水源保护区和游泳区除外)、GB 3097海水二类功能水域和湖、库等封闭或半封闭水域时,执行一级标准的B标准。城镇污水处理厂出水排入GB 3838地表水Ⅳ、Ⅴ类功能水域或GB 3097海水三、四类功能海域,执行二级标准。非重点控制流域和非水源保护区的建制镇的污水处理厂,根据当地经济条件和水污染控制要求,采用一级强化处理工艺时,执行三级标准。但必须预留二级处理设施的位置,分期达到二级标准。

(4)《钢铁工业水污染物排放标准GB 13456—2012》。自2012年10月1日起,新建企业执行表2规定的水污染物排放限值。根据环境保护工作的要求,在国土开发密度已经较高、环境承载能力开始减弱,或环境容量较小、生态环境脆弱,容易发生严重环境污染问题而需要采取特别保护措施的地区,应严格控制企业的污染物排放行为,在上述地区的企业执行表3规定的水污染物特别排放限值。根据环境保护工作的要求,在国土开发密度已经较高、环境承载能力开始减弱,或环境容量较小、生态环境脆弱,容易发生严重环境污染问题而需要采取特别保护措施的地区,应严格控制企业的污染物排放行为，在上述地区的企业执行表3规定的水污染物特别排放限值。

(5)《炼焦化学工业污染物排放标准》(GB 16171—2012)。该标准规定了水污染物排放限值，自2015年1月1日起，现有企业执行表2规定的水污染物排放限值。根据环境保护工作的要求，在国土开发密度较高、环境承载能力开始减弱，或水环境容量较小、生态环境脆弱，容易发生严重水环境污染问题而需要采取特别保护措施的地区，应严格控制企业的污染物排放行为，在上述地区的企业执行表3规定的水污染物特别排放限值。

(6)《纺织染整工业水污染物排放标准》(GB 4287—2012)。自2013年1月1日起，新建企业执行表2规定的水污染物排放限值。根据环境保护工作的要求，在国土开发密度已经较高、环境承载能力开始减弱，或环境容量较小、生态环境脆弱，容易发生严重环境污染问题而需要采取特别保护措施的地区，应严格控制企业的污染物排放行为，在上述地区的企业执行表3规定的水污染物特别排放限值。

(7)《制浆造纸工业水污染物排放标准》(GB 3544—2008)。自2008年8月1日起，新建制浆造纸企业执行表2规定的水污染物排放限值。根据环境保护工作的要求，在国土开发密度已经较高、环境承载能力开始减弱，或环境容量较小、生态环境脆弱，容易发生严重环境污染问题而需要采取特别保护措施的地区，应严格控制企业的污染物排放行为，在上述地区的企业执行表3规定的水污染物特别排放限值。

(8)《合成氨工业水污染物排放标准》(GB 13458—2013)。自2013年7月1日起，新建企业执行表2规定的水污染物排放限值。根据环境保护工作的要求，在国土开发密度已经较高、环境承载能力开始减弱，或环境容量较小、生态环境脆弱，容易发生严重环境污染问题而需要采取特别保护措施的地区，应严格控制企业的污染物排放行为，在上述地区的企业执行表3规定的水污染物特别排放限值。

(9)《电镀污染物排放标准》(GB 21900—2008)。自2013年7月1日起，新建企业执行表2规定的水污染物排放限值。根据环境保护工作的要求，在国土开发密度已经较高、环境承载能力开始减弱，或环境容量较小、生态环境脆弱，容易发生严重环境污染问题而需要采取特别保护措施的地区，应严格控制企业的污染物排放行为，在上述地区的企业执行表3规定的水污染物特别排放限值。

(10)《陶瓷工业污染物排放标准》(GB 25464—2010)。自2010年10月1日起，新建企业执行表2规定的水污染物排放限值。根据环境保护工作的要求，在国土开发密度已经较高、环境承载能力开始减弱，或环境容量较小、生态环境脆弱，容易发生严重环境污染问题而需要采取特别保护措施的地区,应严格控制企业的污染物排放行为,在上述地区的企业执行表3规定的水污染物特别排放限值。

(11)《制革及毛皮加工工业水污染物排放标准》(GB 30486—2013)。自2014年3月1日起,新建企业执行表2规定的水污染物排放限值。根据环境保护工作的要求,在国土开发密度已经较高、环境承载能力开始减弱,或环境容量较小、生态环境脆弱,容易发生严重环境污染问题而需要采取特别保护措施的地区,应严格控制企业的污染物排放行为,在上述地区的企业执行表3规定的水污染物特别排放限值。

(12)《船舶水污染物排放控制标准》(GB 3552—2018)。是我国目前唯一的水上移动污染源水污染物排放控制标准,适用于各种船舶,几乎涵盖除军事船舶之外的所有船舶,包括各种规模和船龄的客船、渔船、油船、化学品船、集装箱船、散货船和特种船舶等,船舶结构、用途各异,航行水域横跨地表水、近岸海域和远海,既有国内船舶,也有外国籍船舶。因此在标准制定工作中,既要对标国际,又要符合我国的发展阶段特征。具体来讲,主要遵循以下原则:一是遵守MARPOL公约等,我国加入的相关国际公约,履行我国遵守公约的义务和责任。二是针对国内水环境保护和污染防治的需要,充分考虑水上移动污染源运营和监管方式的特点,合理设置技术内容。三是在设置污染物项目和排放控制要求方面，坚持必要性与可行性相结合的原则，充分考虑污染防治需要、船舶制造技术和船载污水净化技术研发储备情况、执法监管成本和效果、达标成本等因素，兼顾环境效益、社会效益和经济效益。四是分类施策，先易后难，设置合理、可行的达标技术策略，在污物处理方式方面实行“岸上接收为主，船上处理为辅”，在排放限值设置方面实行“大船严于小船，商船严于渔船”，在保护水域要求方面实行“内河严于外海，近海严于远海”。

（13）《制糖工业水污染物排放标准》（GB 21909—2008）。自 2008 年 8 月 1 日起，新建企业执行表 2 规定的水污染物排放限值。根据环境保护工作的要求，在国土开发密度已经较高、环境承载能力开始减弱，或环境容量较小、生态环境脆弱，容易发生严重环境污染问题而需要采取特别保护措施的地区，应严格控制企业的污染物排放行为，在上述地区的企业执行表 3 规定的水污染物排放限值。

（14）制药工业污水排放标准有《发酵类制药工业水污染物排放标准》（GB 21903—2008）、《化学合成类制药工业水污染物排放标准》（GB 21904—2008）、《混装制剂类制药工业水污染物排放标准》（GB 21908— 2008）、《中药类制药工业水污染物排放标准》（GB 21906—2008）、《提取类制药工业水污染物排放标准》（GB 21905—2008）、《杂环类农药工业水污染物排放标准》（GB 21523—2008）、《皂素工业水污染物排放标准》(GB 20425—2006)。

(15)其他污水排放标准还有《医疗机构水污染物排放标准》(GB 18446—2005)、《羽绒工业水污染物排放标准》(GB 21901—2008)、《肉类加工工业水污染物排放标准》(GB 13457—1992)等。

2.主要的大气污染物排放标准

(1)《大气污染物综合排放标准》(GB 16297—1996)。本标准适用于现有大气污染物排放管理,以及建设项目环境影响评价、设计和环境保护设施竣工验收及其投产后的大气污染物排放管理。

(2)《锅炉大气污染物排放标准》(GB 13271—2014)。本标准规定了锅炉烟气中的颗粒物、二氧化硫、氮氧化物、汞及其化合物的最高允许排放浓度限值和烟气黑度限值,适用于以燃煤、燃油和燃气为燃料的单台出力 65 吨/时及以下的蒸汽锅炉、各种容量的热水锅炉及有机热载体锅炉、层燃炉、抛煤机炉等。使用型煤、水煤浆、煤矸石、石油焦、油页岩、生物质成型燃料的锅炉参照本标准燃煤锅炉排放控制要求执行。不适用于以生活垃圾、危险废物为燃料的锅炉。

(3)《工业炉窑大气污染物排放标准》(GB 9078—1996)。本标准规定了 10 类 19 种工业炉窑烟(粉)尘浓度、烟气黑度、6 种有害污染物的最高允许排放浓度(或排放限值)和无组织排放烟(粉)尘的最高允许排放浓度。

(4)《火电厂大气污染物排放标准》(GB 13223—2011)。本标准仅适用于层燃炉、抛煤机炉以外,单台出力65吨/时及以上的燃煤发电锅炉;各种容量的燃气轮机组的火电厂;单台出力65吨/时以上采用煤矸石、生物质、油页岩、石油焦等燃料的发电锅炉;整体煤气化联合循环发电的燃气轮机组执行本标准中使用天然气的燃气轮机组排放限值。不适用于各种容量的以生活垃圾、危险废物为燃料的火电厂。

(5)《炼焦化学工业污染物排放标准》(GB 16171—2012)。本标准按建设项目环境影响评价批准年限,规定了机械化炼焦炉无组织排放的大气污染物最高允许排放浓度与非机械炼焦炉最高允许排放浓度、吨产品污染物最高允许排放量。

(6)《水泥工业大气污染物排放标准》(GB 4915—2013)。本标准按建设项目环境影响评价批准年限和所在区域,规定了水泥厂各排放点大气污染物的排放限值及粉尘无组织排放控制限值。

(7)《汽车排放污染物排放限值及测试方法》(GB 14761.1—1999~GB 14761.7—1999)。本标准由7个标准组成,本组标准按车辆的类型、燃油、部位、状态或工况等制定相应的污染物排放标准。

(8)《摩托车和轻便摩托车排气污染物排放限值及测试方法》(GB 14621—2011)。本标准规定了摩托车排气污染物排放限值。适用于安装了四冲程或二冲程汽油发动机，最大总质量小于或等于400千克，发动机排量大于50毫升，最高车速50千米/时的二轮、三轮摩托车机器发动机，经修订后的标准，排放标准已经与国Ⅳ接轨。本标准不适用于越野车、赛车及其发动机。

3.主要的固体废物污染物排放标准

（1）《危险废物鉴别标准》（GB 5085.1—2019～GB 5085.7—2019）。本标准由7个标准组成。为防治危险废物造成的环境污染，加强对危险废物的管理，保护环境，保障人体健康，制定本标准。本标准规定了腐蚀性危险废物的鉴别标准。本标准适用于任何生产、生活和其他活动中产生的固体废物的腐蚀性、急性毒性、浸出毒性、易燃性、反应性、毒性物质鉴别。本标准具有强制执行的效力。

（2）医疗废物是国家危险废物名录中已经明确的危险废物种类，纳入了危险废物管理范畴。国家为此制定了《医疗废物集中处置技术规范（试行）》（环发〔2003〕206号）、《医疗废物转运车技术要求（试行）》（GB 19217—2003）、《医疗废物焚烧炉技术要求（试行）》（GB 19218—2003）等建设管理、贮存转移、集中处置一系列的规范与标准，用于规范医疗废物安全处理流程，消除对人或动物及环境潜在的物理、化学或生物感染性伤害。

（3）国家明确具有浸出毒性和急性毒性、腐蚀性、易燃性、反应性或感染性一种或几种特征的固体废物是危险废物,国家为此制定了《危险废物名录》(2021)、《危险废物焚烧污染控制标准》(GW 18484—2020)、《危险废物贮存污染控制标准》(GB 18597—2013)、《危险废物填埋污染控制标准》(GW 18598—2019) 等一系列管理规范和技术标准,提供了从危险废物的产生、贮存、收集转移、安全处理和规范管理等全过程的污染物排放与防治措施与规定,规范危险废物管理。

(4)随着经济社会高速发展,城市生活垃圾已经成为目前固体废物的主要组成部分。国家为此制定了《生活垃圾焚烧污染控制标准》(GW 18485—2014)、《生活垃圾填埋污染控制标准》(GB 16889—2008)等标准,为生活垃圾处理建设项目提供了明确的技术规范。

(5)《一般工业固体废物贮存、处置场污染控制标准》(GB 18599 —2020)。制定本标准的目的是确定拟建项目的位置及其与周围人群的距离,并经过具有审批权的环境保护行政主管部门批准,可作为规划控制的依据。适用于新建、扩建、改建及已经建成投产的一般固体废物贮存、处置场的建设、运行和监督管理。不适用于危险废物和生活垃圾填埋场。

(6)《含多氯联苯废物污染控制标准》(GB 13015—2012)。制定本标准的目的是加强对含多氯联苯废物的管理及治理,规定了含多氯联苯废物污染控制标准值以及含多氯联苯废物的处置方法。适用于含多氯联苯废物的收集、贮存、运输、回收、处理和处置等。

(7)《含氰废物污染控制标准》(GB 12502—90)。本标准规定了含氰废物污染控制的分级方法、含氰废物污染控制标准值,以及含氰废物的检测与处置方法。适用于任何过程中产生的含氰废物。

(8)《农用污泥污染物控制标准》(GB 4284—2018)。本标准适用于在农田中施用城市污水处理厂污泥、城市下水沉淀池的污泥、某些有机生产厂的下水污泥以及江、河、库、塘、沟、渠的沉淀污泥。确定了农用污泥的污染物控制标准值和堆腐、消化要求;规定了单位面积的施用量、无机化合物含量、连续施用年份;限制了适合施用的土壤与地块,在饮用水源保护地禁止施用等。

(9)《建筑材料产品及建材用工业废渣放射性物质控制要求》(GB 6763—2000)。本标准将建筑物分类、建筑材料分级,并规定了各类建筑物的内照射指数、外照射指数、活度和试验方法。目的是限制高于天然放射性本底的附加剂量的照射。适用于建造各类建筑物所使用的无机非金属材料,包括掺工业废渣的建筑主体材料和装修材料。

(10)《城镇污水处理厂污染物排放标准》(GB 18918—2002)。本标准对城镇污水处理厂污泥提出了进行稳定化处理(厌氧消化、好氧消化或好氧堆肥)的要求和定量化控制指标,同时对污泥农用时污染物含量提出了新的达标要求,并增加了三类持久性有机污染物的排放控制要求。

4.其他的污染物排放控制方法

为了提高各类污染控制标准的可操作性和提高环境质量,各级环保行政主管部门还制定了许多实施细则、条例和规范,以适应不断变化的环境污染现状,这些都作为污染控制标准的组成部分,应用于环境保护实践之中。

另外,对那些未列入标准但已证明有害,且在局部范围排放浓度和量比较大的物质,其最高允许浓度,通常可按下列途径处理。

(1)参考国外标准。工业发达国家环保工作起步较早,制定标准也较早,且较齐全。在污染物防治实践中可以借鉴。

(2)公式估算。根据物质毒理性质、物理常数和分子结构特性,用公式进行估算。同一物质用不同公式计算结果可能相差很大,估算结果只能做参考。

(3)直接进行毒理试验估算。当一种物质无任何资料可借鉴,或污染物成分复杂,难以查清结构和组成,则可直接做毒性试验,求出半致死浓度(LC_{50})或半致死量(LD_{50})等,再按有关公式估算。

(五)生态环境监测标准

生态环境监测是以普遍适用的试验、检查、分析、抽样、统计、作业等方法为对象而制定的标准。

1.生态环境监测网络

生态环境监测是生态环境保护的基础,是生态文明建设的重要支撑。针对我国生态环境监测网络目前存在范围和要素覆盖不全,建设规划、标准规范与信息发布不统一,信息化水平和共享程度不高,监测与监管结合不紧密,监测数据质量有待提高等突出问题,难以满足生态文明建设需要,影响了监测的科学性、权威性和政府公信力,必须加快推进生态环境监测网络建设。

总体目标是基本实现环境质量、重点污染源、生态状况监测全覆盖,各级各类监测数据系统互联共享,监测预报预警、信息化能力和保障水平明显提升,监测与监管协同联动,初步建成陆海统筹、天地一体、上下协同、信息共享的生态环境监测网络,使生态环境监测能力与生态文明建设要求相适应。

为了加强生态环境监测管理,促进监测事业健康发展,推动生态环境质量改善,支撑生态环境保护和生态文明建设,依据《中华人民共和国环境保护法》等法律,制定《生态环境监测条例(草案征求意见稿)》。生态环境监测实行依法监测、科学监测、诚信监测的原则。从事生态环境监测活动,应当遵守国家法律法规及生态环境监测技术标准、规范和规程。县级以上人民政府、有关企事业单位和其他生产经营者,应当保障生态环境监测活动的独立、公正,维护生态环境监测数据公信力和权威性。

目前,全国已形成了国家、省、市、县 4 级环境监测网络。共有专业、行业监测站 4800 多个,其中环保系统 2200

多个监测站,行业监测站 2600 多个。国控的空气质量监测网站 103 个、酸雨监测网站 113 个、水质监测网站 135 个。此外还建有噪声监测网、辐射监测网、区域监测网等。

国控环境监测网络规划为:环境空气监测网站 226 个,测点数 793 个;酸雨监测网站 239 个,测点数 472 个;水质监测网站 197 个,监测断面 1074 个;生态监测网站 15 个。

近年来,随着监测机构改革,社会第三方检测机构如雨后春笋般得到极大发展,成为社会监测的极大补充。

2.环境监测分类

(1)环境质量监测:国务院生态环境主管部门组织实施全国和重点区域、流域、海域的环境质量监测与评估工作,对各环境要素质量进行监测和调查,分析评估环境质量状况及其变化趋势,组织开展环境质量预测预报工作。县级以上地方生态环境主管部门应当组织实施本行政区域的环境质量监测、评估与预测预报工作。

土壤环境监测是指通过对影响土壤环境质量因素的代表值的测定,确定环境质量(或污染程度)及其变化趋势。通常所说的土壤监测是指土壤环境监测,其一般包括布点采样、样品制备、分析方法、结果表征、资料统计和质量评价等技术内容。一般土壤监测可以分为全国区域土壤背景、农田土壤环境、建设项目土壤环境评价、土壤污染事故等类型的监测。土壤污染的优先监测应是对人群健康和维持生态平衡有重要影响的物质。如汞、镉、铅、砷、铜、铝、镍、锌、硒、铬、钒、锰、硫酸盐、硝酸盐、卤化物、碳酸盐等元素或无机污染物;石油、有机磷和有机氯农药、多环芳烃、多氯联苯、三氯乙醛及其他生物活性物质;由粪便、垃圾和生活污水引入的传染性细菌和病毒等。

(2)生态状况监测:国务院生态环境主管部门会同国务院自然资源、农业农村、科技等有关部门建立完善生态状况监测体系,组织对生态系统的数量、质量、结构和服务功能等开展监测与评估。国务院生态环境主管部门组织对全国生态状况进行定期调查评估,重点对国家重点生态功能区、自然保护地、生态保护红线等开展调查、监测与评估。省级人民政府生态环境主管部门会同有关部门组织生态状况监测,对本行政区域生态状况进行监测与评估。

(3)污染源自行监测:国家建立“谁排放、谁监测”的污染源自行监测制度。依法实行排污许可管理的企事业单位和其他生产经营者(以下简称排污单位)应当按照国家有关规定和监测标准规范,制定自行监测方案,对所排放的污染物及其对周边环境质量的影响实施自行监测,并保存原始记录。排污单位不具备自行监测能力的,应当委托其他具备相应资质和能力的监测机构代其开展自行监测。排污单位对其自行监测数据的真实性、准确性负责。自行监测活动可以采用手工监测、自动监测或者手工监测与自动监测相结合的技术手段。依法依规应当开展自动监测的排污单位,应当按照有关标准规范安装使用自动监测设备,保证自动监测设备正常运行,定期对自动监测设备开展质量控制和质量保证工作,确保自动监测数据完整、有效,并与生态环境主管部门的监控设备联网。排污单位自行监测发现污染物排放超标的,应当加密自行监测频次,及时向所在地县级以上生态环境主管部门报告,并采取有效防止超标排污或者减轻污染的措施。

(4)环境执法监测:县级以上生态环境主管部门应当对排污单位污染物排放状况实施环境执法监测,对排污单位自行监测情况开展监督检查。环境执法活动中采样和监测应严格遵守环境行政处罚程序和证据要求。被检查的排污单位不得以任何方式拒绝、阻挠环境执法监测和监督检查活动。环境执法监测与排污单位自行监测数据不一致的,以环境执法监测数据为准。

(5)应急监测:县级以上人民政府应当建立健全生态环境应急监测管理体系,加强应急监测队伍建设,做好应急监测物资、仪器设备储备等工作,定期组织开展突发环境事件应急监测演练。发生突发环境事件时,县级以上地方人民政府应当负责应急监测的启动、开展和终止等活动。发生重特大海上污染事件时,相关省级以上人民政府应当及时组织启动、开展应急监测;核与辐射污染事件的应急监测工作,按照核安全法有关规定执行。

3.主要的生态环境监测标准与规范

《生态环境监测条例(草案征求意见稿)》。为了加强生态环境监测管理,促进监测事业健康发展,推动生态环境质量改善,支撑生态环境保护和生态文明建设,依据《中华人民共和国环境保护法》等法律,制定本条例。

生态环境监测实行依法监测、科学监测、诚信监测的原则。从事生态环境监测活动,应当遵守国家法律法规及生态环境监测技术标准、规范和规程。县级以上人民政府、有关企事业单位和其他生产经营者,应当保障生态环境监测活动的独立、公正,维护生态环境监测数据公信力和权威性。

我国关于土壤环境监测的标准有《土壤环境监测技术规范》(HJ/T 166—2004),其属于中华人民共和国环境保护行业标准。土壤中的有机类和无机类污染物在实验室用重量法、容量法、化学法和仪器法进行测定;细菌和病毒用生物检测方法进行测定。土壤污染监测结果对掌握土壤质量状况,实施土壤污染控制防治途径和质量管理有重要意义。

监测标准还有《生态环境监测技术规范》《水质水环境监测技术标准与评价》《环境监测技术规范——大气部分》《环境检测噪声检测技术》《辐射环境监测技术规范》(HJ/T 61—2021)、《工业固体废物采样制样技术规范》(HJ/T 20—1998)、《室内环境空气质量监测技术规范》《农村环境连片整治技术指南》(征求意见稿)、《生态脆弱区监测技术指南》(征求意见稿)、《火电厂环境监测技术规范》

（DL/T 414—2017）、《汽车加速行驶车外噪声限值及测量方法》（GB 1495—2016）等。

4.标样与方法标准

标样是在环境保护工作中，用来标定仪器、验证测量方法，进行量值传递或质量控制的材料或物质，对这类材料或物质必须达到的要求所做的规定。它是检验方法标准是否准确的主要手段。

5.环境监测仪器

环境监测是环境管理的基础和技术支持，随着我国环境保护工作的开展，我国环境监测技术也取得了较大的进步，环境监测仪器生产形成了一定的规模。

为了保证污染治理设备的效率和环境监测数据的可靠性和可比性，需要对环境监测仪器、设备的技术要求做出规定。根据用途，环境监测仪器有水质监测、大气监测、噪声检测、辐射检测等。

目前，我国环境监测仪器的生产企业有 140 余家，年产值约 4.8 亿元。环境监测仪器的主要产品是各种水污染和大气污染监测、噪声与振动监测、放射性和电磁波监测仪器。我国生产的烟尘采样器、烟气采样器、总悬浮微粒采样器、油分测定仪、污水流量计等环境监测仪器已接近或达到国际先进水平，在国内市场上占有很大比例。国产大型实验室用原子吸收分光光度计、紫外-可见光分光光度仪、气相色谱仪等监测仪器自动控制技术采用程度较低，关键零部件尚依赖进口。

环境监测仪器品种有：酸度计、电导率仪、液相色谱仪、气相色谱仪、紫外-可见分光光度计、可见光光度计、原子吸收分光光度计、离子色谱仪、浊度仪、双道原子荧光光度计、便携式溶氧仪、离子计、半透明烟度计、不透明烟度计、测汞仪、场强仪、大气污染日平均浓度采样器、多功能红外测油仪、黑度计、极谱仪、空气采样器、自动烟尘（气）测试仪、皮托管平行自动烟尘采样器、汽车排气分析仪、汽车尾气测试仪、烟气采样器、烟气二氧化碳分析仪、烟气分析仪、手持式荧光分析仪、手持式气体采样分析仪等。

6.环境监测及监测仪器发展趋势

（1）以目前人工采样和实验室分析为主，向自动化、智能化和网络化为主的监测方向发展。

（2）由劳动密集型向技术密集型方向发展。

（3）由较窄领域监测向全方位领域监测的方向发展。

（4）由单纯的地面环境监测向与遥感环境监测相结合的方向发展。

（5）环境监测仪器向物理、化学、生物、电子、光学等技术综合应用的高技术领域发展。

（六）生态环境标准管理

在环境保护工作范围内，对有指导意义的符号、指南、导则等的规定，是制定其他环境标准的基础。

《生态环境标准管理办法》于 2021 年 2 月 1 日开始施

行，适用于生态环境标准的制定、实施、备案和评估，分为国家生态环境标准和地方生态环境标准。规定生态环境质量标准、生态环境风险管控标准、污染物排放标准等标准发布前，应当明确配套的污染防治、监测、执法等方面的指南、标准、规范及相关制定或者修改计划，以及标准宣传培训方案，确保标准有效实施。

《制定地方水污染物排放标准的技术原则与方法》（GB 3839—83），本标准为统一全国制定地方水污染物排放标准的指导思想、技术规定、基本程序和方法的国家环境基础标准，适用于制定排入江、河、湖、水库等地面水的污染物排放标准。各地制定地方水污染物排放标准，除应执行本标准的规定外，尚须执行国家有关环境保护的方针、政策和规定等。

以上为环境保护制定的标准、办法和条例等种种措施，大多数都是立足于行政监督与管理层面开展的工作，虽有部分环境立法等尝试，但仍有待全面、系统和深层次地厘清环境立法的主体、客体关系，并与时俱进地完善体系，以适应生态文明时代对环境保护的需求。

第五章　环境权是全面完善生态环境法律体系的核心与基础

环境危机降临人类社会已有半个世纪，人类用来应对这场危机的环境立法也已度过了几十个年头。法国学者基斯先生认为，“真正意义上的环境保护措施是在 20 世纪才出现的，更准确地说，是 60 年代末”，现代意义上的环境法也是在此时开始出现的。[①] 蔡守秋先生认为，“环境权是环境法的一个核心问题，是环境诉讼的基础”[②]。可是，直到今天，被这些学者理解为环境法基础的环境权，却迟迟没有得到人们的公认。

一、环境权的属性

环境权，从语义分析的角度有两层含义：一是环境的权利，二是主体对环境所享有的权利。而我们现有的理论体系坚持在哲学上“主客二分法”，也就是以“主体与客体

---

① 林灿玲.国际环境法[M].北京：法律出版社，2000.

② 蔡守秋.环境权初探[J].中国社会科学，1982(3)：1-9.

的对立”来进行理论的建构，不承认作为客体的环境有独立的内在权利。如此，环境权则仅仅是指主体对环境所享有的权利。

环境权是指特定的主体对环境资源所享有的法定权利。对公民个人和企业来说，就是享有在安全和舒适的环境中生存和发展的权利，主要包括环境资源利用权、环境状况知情权和环境侵害请求权。

对国家而言，环境权就是国家环境资源管理权，是国家作为环境资源的所有人，为了社会的公共利益，而利用各种行政、经济、法律等手段对环境资源进行管理和保护，从而促进社会、经济和自然的和谐发展。

（一）环境权的权利性质

环境权是伴随着人类环境危机而产生的一种新的权利概念或社会主张，是道义权利、应有权利的法定化，是集体权利和个体权利之汇合，是权利和义务的高度统一，是一种新型法权。环境权作为首义权利、习惯权利，是人类社会的产物，随着人类社会的产生而产生，随着人类社会的发展而发展。不同的时代，由于物质生活条件和文化传统的不同，人类的权利需要和权利要求差异，环境权有着不同的内涵。

环境权的主体具有广泛性，它既是一项个体权利，又是一项集体权利，还是一项代际权利。环境权中个人主体的权利能力和行为能力受年龄等条件限制较小，环境权中具有集体资格主体的权利能力和行为能力几乎没有限制。

环境权是环境法律权利和环境法律义务的高度统一。在环境社会关系中,每个环境权主体在享受和利用环境的同时,也承担了不对其他主体所享受和利用环境造成损害的义务;而且,当代人在享受和利用适宜环境的同时,也承担了不对后代人的生存和发展的环境构成危害的义务。正是基于环境权的这一特征,法律在确认环境权的同时,也都相应地规定了环境法律关系主体保护环境的义务。

环境权是一项与多种基本法权相交叉的新型法权,是具有鲜明个性、兼有各种权利性质和内容的一项新型权利。正是由于环境权的上述性质,使得环境权作为一项独立的新型主体成为可能。它以限制经济发展的绝对自由为出发点,试图实现人与自然的和谐,从而弥补传统法律权利在可持续发展方面的缺陷,发挥传统法律权利难以替代的作用。

更加广义的环境权还需要考虑野生动物栖息地等自然生态保持与保护的对象等,如生物圈。2021 年在我国云南西双版纳野生大象群北上迁徙就是人类与野生动物生存环境互动的一个典型案例。该事件中,当地政府和居民就给予了最大耐心与宽容,为它们尽可能地提供了宽松环境与条件。

(二)环境权的主要内容

公民个人或团体的环境权并非一项单独的权利,而是一个由公权与私权、程序权利与实体权利所构成的内容丰富的环境法律体系。它在程序上表现为国家环境管理的参与决策权(被赋予民事权利的性质)。它以资源的开发权、利用权为中心,体现作为公共物品——环境的对公民个人或团体的客观价值,通过成本-收益的效用比较参与经济流通过程。从权利的表现形式进行分类,环境权主要有如下内容。

1.环境资源利用权

环境权的核心在于保障人类现在和将来世世代代对环境的利用,以获得满足人类生存需要和经济社会发展的必要条件。因此,环境权首先要肯定其主体对环境的利用权,事实上,各国环境立法的实践也都立足于对环境资源利用权的规定展开。将环境资源利用权确定为一项权利,才可以使权利主体承担法律义务,也可以使权利主体的权利滥用受到限制。

一方面,对环境资源利用权的确立意味着为人类使用环境的合法性,对环境的利用就有污染物的排放和对自然环境的改变,只有在环境资源利用权的基础上才能制定环境标准、环境许可、环境开发的各种制度,也才有以环境容量为核心的环境资源使用权交易制度的形成。另一方面,对环境资源利用权的确立意味着国家及其与权利主体相对应的个人和团体所必须承担的义务的确定,资源利用主体的环境资源利用权在受到不法侵害时,法律将为其提供强制性保障,从而为资源利用主体向国家、向他人主张环境权奠定了基础。

各国现有环境立法中的日照权、眺望权、景观权、静稳权、嫌烟权、亲水权、达滨权、清洁水权、清洁空气权、公园利用权、历史性环境权、享有自然权等都是关于环境资源利用权的规定。学者们也对这些利用权进行了分类,日本的中山教授提出用“环境的共同使用权”来概括这一权利,并将它具体区分为“生活环境使用权”“自然公物使用权”“特定自然环境使用权”三类。另有学者从环境利益的保护角度出发,将日照权、眺望权、嫌烟权等生活环境中与我们的生活密切相关的、私权性质较强的权利称为环境私权;而将清洁水权、清洁空气权、享有自然权、历史性环境权等“公共性”“公益性”较高,支配“公共的空间意识”,公权性质较强的权利等称为环境公权。实际上,这里的“环境私权”与“环境公权”和传统法律上的公权与私权又是完全不同的两个概念。

2.环境状况知情权

环境状况知情权又称信息权,是国民对本国乃至世界的环境状况、国家的环境管理状况以及自身的环境状况等有关信息获得的权利。这一权利既是国民参与国家环境管理的前提,又是环境保护的必要民主程序。人们有权知道环境的真实状态,这一权利在立法中也得到了明确的承认,环境状况知情权在环境法的一些基本制度如环境影响评价、污染权交易、环境标准、环境信息公示等多项制度中也有所反映。

一方面，环境状况知情权主要是由法定程序来加以保障的一项权利。有关获得环境信息的程序立法在此就尤为重要，国民如何获得环境信息？获得何种信息？对于获得的信息的反馈有无途径？等等。从另一方面看，环境状况知情权是对政府环境行政机关权力的限制，它要求环境行政机关负有披露信息的义务，对于不履行职责者，将产生法律后果，在此意义上，环境状况知情权又是监督权的一种表现。

我国现行立法除了对环境状况知情权有比较明确的程序性规定以外，与环境状况知情权中所包含的应该公开的、具体的环境信息有关。从国家权力设置的角度，也有对环境管理行政机关发布信息内容等进行了限制和规定，这在本质上与环境状况知情权在立法思想上是有差别的。从国家权力的角度立法与从国民权利角度的立法能反映出法律本位的不同，也反映出国家对于国民在环境保护中的地位认识的不同。

3.环境侵害请求权

环境权中所包含的环境侵害请求权，是公民的环境权益受到侵害以后向有关部门请求保护的权利。它既包括对国家环境行政机关的主张权利，又包括向司法机关要求保护的权利，具体为对行政行为的司法审查、行政复议和国家赔偿的请求权，对他人侵犯公民环境权的损害赔偿请求权和停止不法侵害的请求权等。实际上，也可以对环境权的内容做法律规范形式意义上的分类，按照这种分类，环境权中环境侵害请求权的内容包括宪法权利、行政法权利、民法权利、诉讼法权利等。

4.国家的环境管理权

国家享有公法意义上的环境资源管理权。国家作为社会公共利益的代表，享有对环境资源的所有权和管理权。在很多的法律部门中都有所体现。比如宪法第九条规定："矿藏、水流、森林、山岭、草原、荒地、滩涂等自然资源，都属于国家所有，即全民所有；由法律规定属于集体所有的森林和山岭、草原、荒地、滩涂除外。国家保障自然资源的合理利用，保护珍贵的动物和植物。禁止任何组织或者个人用任何手段侵占或者破坏自然资源。"

我国现行的行政体制框架内，矿藏、水流、森林、山岭、草原、荒地、滩涂和野生动植物等自然资源，一般都是分别属于不同的行政主管部门管理。这样的管理模式有一定的合理性和历史的惯性。但是存在弊端——人为地分割了环境资源的统一性，破坏了环境资源的生态性和整体性，同时在决策的时候难免会造成考量的片面和不周全性。因此，我们认为国家的环境资源管理权应由国务院统一行使对全国生态环境资源的管理权，明确管理边界，尽可能地将"分级分部门管理"变为"统一管理"。

司法实践中，因生态环境受侵害的行政诉讼主体，其合法性基础和前提就在于国家的环境保护和资源管理职能。然而仅仅是国家相关部门作为应诉机关被动地去应对行政相对人的诉讼，并没有肯定国家相关部门作为环境资源的所有人，可以主动地因为环境污染或资源破坏而向特定的当事人提起诉讼。

现行的做法有二：一是国家机关和相关组织可以支持起诉；二是由国家检察机关对环境资源犯罪提起公诉。但环境民事类的侵害案件缺乏相应的诉讼途径。

（三）环境权的取得与义务

环境权作为一种自得权，不是通过与权利主体相对的义务主体履行义务来实现。

所谓自得就是不靠天不靠地，也不需要排除来自其他主体的妨碍，自己满足自己的需要。如农民播种庄稼，期望的是收获，收获是播种者的权利；鲁滨孙经营自己的孤岛，期望的是安全而富足的生活，这种安全而富足的生活是鲁滨孙的权利；股东建立公司，期望公司赢利，赢利是股东的权利。这种权利既不需要向另外的主体请求，也不会对其他的主体构成威胁或产生有利的或不利的影响，它是权利人自己的“所有”，是他们自己的利益，是仅仅对主体有利的权利。

从追求的主观愿望的角度看，为收获付出劳动，播种者、企业主和鲁滨孙都是义务主体。角度的这种转变使自得的权利变成了自负的义务。

（四）环境权在司法实践中的地位

在司法实践中，大量的以环境权为诉讼理由的判决遭到了否定，否定环境权判决的理由有多种，如将宪法关于环境权的有关规定解释为程序性的规定或纲领性的规定，认为不能根据这些规定直接取得具体的环境侵害请求权。认为环境权是针对环境而言的利益，这种利益不能说是应受到法律保护的利益，只不过是反射性利益。还有的法官认为环境权的内容和范围、环境权的主体范围不明确，无法具体适用。也有人认为，环境是公共利益，任何个人不能成为它的利益主体，因而原告不符合诉讼主体资格等。所以，在现行司法实践中主流是否定环境权理论的。

随着生态环境时代对环境保护需求的深入和增强，将对司法提出更大的需求，将会逐步改善环境权在司法体系中的地位，加强环境权的意识和理论研究，促进环境权在生态环境时代的作用，进一步完善环境法律体系。

二、生态环境时代战略布局对环境权的需求

（一）完善法律法规政策体系

强化法律法规支撑。推动完善促进绿色设计、强化清洁生产、提高资源利用效率、发展循环经济、严格污染治理、推动绿色产业发展、扩大绿色消费、实行环境信息公开、应对气候变化等方面法律法规制度。强化执法监督，

加大违法行为查处和问责力度,加强行政执法机关与监察机关、司法机关的工作衔接配合。

健全绿色收费价格机制。完善污水处理收费政策,按照覆盖污水处理设施运营和污泥处理处置成本并合理盈利的原则,合理制定污水处理收费标准,健全标准动态调整机制。按照产生者付费原则,建立健全生活垃圾处理收费制度,各地区可根据本地实际情况,实行分类计价、计量收费等差别化管理。完善节能环保电价政策,推进农业水价综合改革,继续落实好居民阶梯电价、气价、水价制度。

加大财税扶持力度。继续利用财政资金和预算内投资支持环境基础设施补短板强弱项、绿色环保产业发展、能源高效利用、资源循环利用等。继续落实节能节水环保、资源综合利用以及合同能源管理、环境污染第三方治理等方面的所得税、增值税等优惠政策。做好资源税征收和水资源费改税试点工作。

大力发展绿色金融。发展绿色信贷和绿色直接融资,加大对金融机构绿色金融业绩评价考核力度。统一绿色债券标准,建立绿色债券评级标准。发展绿色保险,发挥保险费率调节机制作用。支持符合条件的绿色产业企业上市融资。支持金融机构和相关企业在国际市场开展绿色融资。推动国际绿色金融标准趋同,有序推进绿色金融市场双向开放。推动气候投融资工作。

完善绿色标准、绿色认证体系和统计监测制度。开展绿色标准体系顶层设计和系统规划,形成全面系统的绿色标准体系。加快标准化支撑机构建设。加快绿色产品认证制度建设,培育一批专业绿色认证机构。加强节能环保、清洁生产、清洁能源等领域统计监测,健全相关制度,强化统计信息共享。

培育绿色交易市场机制。进一步健全排污权、用能权、用水权、碳排放权等交易机制,降低交易成本,提高运转效率。加快建立初始分配、有偿使用、市场交易、纠纷解决、配套服务等制度,做好绿色权属交易与相关目标指标的对接协调。

(二)我国公民环境权立法

1.公民环境权立法

目前,各国普遍重视环境立法,我国也相继出台了许多法律。诸如《中华人民共和国森林法》《中华人民共和国大气污染防治法》《中华人民共和国海洋环境保护法》《中华人民共和国水污染防治法》。可以说,从整体上说,我国的环境法律体系在世界上并不落后,但是,保护公民环境权的立法至今还很薄弱,表现在以下几个方面。

(1)我国的一系列环境法带有浓厚的公法性质,它们主要针对国家对环境的管理和对破坏环境者的处罚而言,即使偶尔涉及民事争议条款,也显得很粗陋。而《民法通则》除第 83 条“不动产的相邻各方,应当按照有利生产、方便生活、团结互助、公平合理的精神,正确处理截水、排水、通行、通风、采光等方面的相邻关系。给相邻方造成妨碍或者损失的，应当停止侵害，排除妨碍，赔偿损失”规定外，第 123 条、第 125 条、第 126 条对特殊民事侵权（注：与环境无直接相关的民事侵权）有所规定外，再无保护公民环境权的内容。公民环境权的侵权与传统侵权无论在特征，还是在处理方式上都有很大差异，故此，加强公民环境权立法极其必要。

（2）我国环境法多是有关对环境损害的处罚性规定，以“治”为主，污染物排放源头“防”较薄弱。而环境损害因其潜伏性、长期性、扩散性的特点，若待损害事故发生后再治理，未免过于滞后，所以应转变立法思想，从源头抓起。

（3）我国处罚的多是污染、破坏环境的行为，重在保护环境的安全、卫生，而随着社会的发展，人们更多追求舒适、优美的环境，这对立法提出了更高的要求。

（4）加强对公民环境权的处理规定，明确归责原则，举证责任至关重要。

（5）保护公民环境权的过程，在某种程度上，也是加大政府职能，扩大公民环境知情权、环境事务参与权、监督权的过程。而我国环境法对公民环境程序权规定较少。

2.环境权与人权

环境权是人权的升华，以多角度、视角回顾人权发展历史，使我们更准确地把握不同时期的人权，尤其是升华期的环境权的特殊性。下面就是我们对三阶段人权的若干特点所做的总结：初创期人权、发展期人权、升华期人权等三个阶段人权产生的背景是不同的。

(1)初创期的人权(以下以自由权为例)发生的背景是封建压迫。在封建压迫下，平民没有政治地位，没有自由发展的空间，所以他们向特权者要平等，向政府要自由。自由权制度的基本功能是解决政治问题，即控制政权的贵族与平民、政府与公民的关系问题。

(2)发展期的人权(以下以生存权为例)发生的背景是资本压迫。在资本的压迫下，社会弱者，尤其是其中的无产阶级，除了劳动力之外一无所有，甚至连劳动力再生产的能力也丧失了，所以他们向剥削者要生存，要求政府给他们公平。生存权的功能是解决社会问题，解决社会的强者与弱者之间的关系问题。

(3)升华期的人权(以下以环境权为例)产生的背景是有害环境的压迫。在恶劣环境的压迫下，人类无法维持正常的生存和繁衍，所以他们举起环境权的旗帜，要求良好的环境。他们向具体的污染者要求过，他们希望国家也能像过去维护社会弱者的生存权那样给他们以环境权。但过去的努力没有能够真正解决问题，这是因为，环境权的功能与生存权和自由权不同。

(三)政府在公民环境保护中扮演的角色

保护公民的环境权，不仅在于公正有效地处理关于侵害环境权的民事纠纷，还在于治理环境，优化公民生存空间。然而,由于环境治理是一项投入很高、收益很慢的艰巨工程,任何单位和个人的力量都是十分有限的;同时,由于环境的治理、改善属于复杂而系统的公益事业,只有政府才能当此大任。

在我国,政府是管理者、协调者和引导者。经济发展不平衡决定了政府环境工作任重道远。表现在:财力有限,投向环境治理的资金有限;环保行业隶属多部门,行政管理繁杂,行业发展存在盲目和缺乏统一性;法律尚不健全,政府职责常不明确;地方和行业保护主义时有发生,严格执法大打折扣;环境工作决策常集权于政府,公民环境参与权常被忽略;公民环境权意识亟待提高和理性,缺乏对政府工作的监督。针对我国的生态环境工作实际现状,借鉴外国部分先进经验,需要进一步加强我国生态环境治理工作,加强政府职能和工作力度,切实保护公民的环境权。

按照环境权的享有所依据的法律属性的不同,可以将之分为私法意义上的环境权和公法意义上的环境权。前者是公民个人依法享有的在安全舒适的环境中生存和生活的权利;后者是一种环境管理权。私法意义上的环境权多体现在宪法、民法、民事诉讼法、刑法等法律部门,比如民法中规定“公民享有生命健康权”“违反国家保护环境防止污染的规定,污染环境造成他人损害的,应当依法承担民事责任”,就说明了公民个人享有在安全舒适的环境中生存和发展的权利，这种权利受法律保护，不得侵害和剥夺；而公法意义上的环境权则体现在环境保护法、行政诉讼法等法律部门中，比如环境保护法中规定“县级以上地方人民政府环境保护行政主管部门，对本辖区的环境保护工作实施统一管理”就表明了环境保护行政主管机关的环境资源管理权。

（四）环境权立法的重要性和紧迫性

一是突破敌对国家恶意打压和封锁。阐明环境权的含义与保护对象，依法保护生态环境，从全球经济发展不同阶段的国家应承担相应环境保护责任和义务出发，最大限度地保护、促进和支持大多数发展中国家深化和开展环境保护。

二是保护我国企业正当合法权益。我国将扩大高水平对外开放，为外商投资企业营造公平、公正、非歧视的营商环境。同样，运用环境权立法保护我国企业海外的权益。针对外国利用生态环境议题，限制和打压我国企业的行为，依法给予有效回击，切实保护我国企业正当合法权益。

三是对等制裁敌对国家的霸凌行为，作为世界负责任大国旗帜鲜明地发出符合人类利益的声音。对于敌对国家利用国内法或区域性条约，甚至利用单方面造谣和中伤来制裁我国的霸凌行为，可利用环境权立法作为武器之一，给予坚决反击，如保护国内重稀土资源、大型海洋作业船等就是例子，希望能有更多的法律手段作为武器，维护我国正当权益。

第六章　环境权立法的重要意义

一、环境权的提出是生态文明时代发展阶段的必然

人类社会发展、生产力的不断提高，随着对资源的索取快速增加，对环境保护的需求不断提高，环境保护从点源污染源控制与污染治理逐步进化到以自然资源利用与生态环境污染要素管理与控制。适时提出环境权一是必然，二是可行。

生态文明时代的环境保护从污染物点源控制与治理转变为污染要素的区域、流域综合整治，尤其是大气污染物具有流动性强、瞬时性强和取证难等特点，更应从污染要素方面着手。其中碳中和就是主要抓手之一。

我国将碳达峰、碳中和纳入生态文明建设整体布局，全面推行绿色低碳循环经济发展。中国已决定接受《〈蒙特利尔议定书〉基加利修正案》，加强氢氟碳化物等非二氧化碳温室气体管控。在全球达成共识的温室气体减排目标的实现过程，尤其在国际环境中更是离不开环境权立

法。对于中国这个世界上最大的发展中国家,也是全球碳排放最多的国家之一,提出最高碳排放强度降幅是体现我国作为负责任大国的庄严承诺。国家主席习近平在2021年4月16日同法国、德国领导人举行的视频峰会时正式宣布中国将力争于2030年前实现二氧化碳排放达到峰值、2060年前实现碳中和,这意味着中国作为世界上最大的发展中国家,将成为全球最高碳排放强度降幅,在全球历史上用最短的时间实现从碳达峰到碳中和。

在全面落实《巴黎协定》,用法律条款促使发达经济体在温室气体减排行动力度上做出表率,并带头兑现气候资金承诺,为发展中国家应对气候变化提供充足的技术、能力建设等方面支持。

二、完善环境权立法是生态文明时代司法改革的趋势之一

鉴于现行司法实践中有大量因环境权诉讼案件败诉,对环境权的法律地位认识的不同,亟待完善的现状,环境权立法已成为司法体系改革或完善中的一个重要方面,成为适应生态文明时代司法改革的趋势之一。

应对气候变化是全人类的共同事业,西方经济体将其作为地缘政治的筹码、攻击他国的靶子、贸易壁垒的借口。我国更应完善环境权立法,用法律为武器维护我国的正当权益,争取我国在环境权方面的话语权,避免落入西方预

设的圈套。

在运用环境权法律的同时，我国将扩大高水平对外开放，为外商投资企业营造公平、公正、非歧视的营商环境。同样，运用环境权立法保护我国企业在海外的权益。

三、生态文明时代为环境权立法提供了生长和发展的土壤

生态文明逐渐融入经济建设、政治建设、文化建设、社会建设之中，形成了生态文明建设中人与自然、人与社会的平衡关系，在中国社会与中国文化融合下提倡并实施的生态文明建设，结合我国开展的生态文明试点建设的阶段性成果和认识，归纳了建设中国特色生态文明的路径，提出了我国生态文明建设的对策。为环境权立法提供了促进生长和发展的土壤。

环境执法主体在现有法律体系下的作为是关系各项环境法规落实与执行的关键，对倡导全社会建立完善的生态文明时代的环境法制体系至关重要。要不断完善现有的环境法规以适应社会进步和经济发展环境的需求，同时对局部区域、特定环境等有环境法规需求的领域，需要有关地方根据国家有关法律制定地方环境法规，以完善其环境执法依据。同时，环境立法不应仅仅限于自然环境方面，还应涉及人文环境范畴。

环境执法主体依据现行的环境法规，在具体操作时，

要厘清各种环境案例的环境权属性和环境权主体与客体的关系,做到有法可依,执法必严,准确无误。